**LLYFRAU ERAILL GAN DAVID WALLIAMS
A GYHOEDDWYD GAN ATEBOL:**

Dihangfa Fawr Taid

Y Bachgen Mewn Ffrog

Y Biliwnydd Bach

Anti Afiach

Mr Ffiaidd

Deintydd Dieflig

Cyfrinach Nana Crwca

YNGHYD Â LLYFRAU STORI-A-LLUN:

Neidr yn yr Ysgol!

Yr Arth Fu'n Bloeddio BW!

Yr Hipo Cyntaf ar y Lleuad

Yr Eliffant Eitha Digywilydd

David Walliams

PLANT GWAETHA'R BYD

Gyda lluniau lliw gan **Tony Ross**

Addasiad gan Manon Steffan Ros

atebol

DAVID WALLIAMS

TONY ROSS

I

Tom a George,

dau o Blant

Gorau'r Byd

D. W.

I

Wendy,

a'r Savannahs

T. R.

Y fersiwn Saesneg

Hawlfraint y testun © David Walliams 2016

Arlunwaith © Tony Ross 2016

Llythrennau enw'r awdur © Quentin Blake 2016

Cyhoeddwyd y testun gyntaf yn 2016 gan *HarperCollins Children's Books*

Mae *HarperCollins Children's Books* yn adran o HarperCollins Publishers Ltd,
1 London Bridge Road, Llundain SE1 9GF. www.harpercollins.co.uk

Mae hawliau David Walliams a Tony Ross wedi'u cydnabod fel awdur ac arlunydd y gwaith hwn.

Mae eu hawliau wedi'u datgan dan Ddeddf Hawlfreintiau, Dyluniadau a Phatentau 1988.

Y fersiwn Gymraeg

Y cyhoeddiad Cymraeg © Atebol Cyfyngedig, Adeiladau'r Fagwyr, Llanfihangel Genau'r Glyn, Aberystwyth, Ceredigion SY24 5AQ

Cyhoeddwyd gan Atebol Cyfyngedig yn 2018

Addaswyd i'r Gymraeg gan Manon Steffan Ros

Golygwyd gan Adran Olygyddol Cyngor Llyfrau Cymru

Cyhoeddwyd gyda chymorth ariannol Cyngor Llyfrau Cymru

www.atebol.com

DIOLCHIADAU

Hoffwn ddiolch i...

Tony Ross, *Arlunydd* – Pan oedd o'n 6, llenwodd dun gyda phenbyliaid, ei roi yn llofft ei Nain ac anghofio amdano... nes iddo gael ei atgoffa pan sgrechiodd ei Nain fod 'na frogaod dros ei gwely!

Ann-Janine Murtagh, *cyhoeddwr* – Pan roedd hi'n fach, gwrthodai fynd i gysgu nes bod ei 6 brawd a chwaer wedi dweud stori wrthi- byddai'n mynd i'r gwely ar ôl hanner nos felly!

Charlie Redmayne, *Prif Weithredwr* – Rhoddodd y bai ar ei chwaer am ddwyn y jeli, er mai fo oedd wedi gwneud. Dim ond nawr mae o'n cyfaddef.

Paul Stevens, *fy asiant* – Pan oedd o'n fachgen bach, torrodd dwll yn siaced hoff siwt ei dad.

Ruth Alltimes, *Golygydd* – Pan oedd hi'n 5, tywalltodd jwg o ddiod oren dros ben ei chwaer.

Rachel Denwood, *Cyfarwyddwr Cyhoeddi Creadigol* – Arbrofodd i weld faint o bys y gallai ffitio yn ei thrwyn.

Sally Griffin, *Cynllunydd* – Pigodd holl gennin Pedr ei mam i werthu yn ei "siop flodau" pan oedd hi'n saith oed.

Anna Lubecka, *Cynllunydd* – Torrodd ei gwallt i gyd i ffwrdd gyda siswrn ewinedd pan oedd hi'n fach.

Nia Roberts, *Cyfarwyddwr Celf* – Pan oedd hi'n 6, paentiodd dros luniau priodas ei rhieni gyda phaent ewinedd coch.

Kate Clarke, *Cynllunydd y clawr* – torrodd sgarff ddrud ei mam i'w ddefnyddio mewn *collage*.

Geraldine Stroud, *Cyfarwyddwr Adnoddau Dynol* – Cymysgodd holl eli a phersawr a cholur ei mam a'i daenu dros y tŷ.

Sam White, *Cyhoeddusrwydd* – Gwnaeth bi-pi yng ngwely ei fam, a ddywedodd o 'run gair wrthi.

Nicola Way, *Cyfarwyddwr Marchnata* – Herwgipiodd ei brawd a'r ci a rhedodd i ffwrdd am awr.

Alison Ruane, *Cyfarwyddwr Brand* – Pan oedd hi'n ddeg, byddai'n gwneud sgons gyda phowdr chilli ac yn gorfodi ei brodyr i'w bwyta.

Georgia Monroe, *Golygydd* – Taenodd eli pen ôl dros ei llofft pan oedd hi'n fach.

Tanya Brennand-Roper, *Golygydd* – Roedd hi'n casglu mwydod i'w rhoi yn y gegin er mwyn gwneud i'w mam sgrechian.

CYFLWYNIAD

gan siopwr o'r enw Huw.

Plis, plis, plis, plis, plis, ac

os gwelwch yn dda iawn,

PEIDIWCH Â DARLLEN
Y LLYFR YMA!

Os ydych chi wedi'i brynu'n barod, dinistriwch y llyfr. Os mai dim ond cymryd cip arno ydych chi yn eich llyfrgell leol, ewch â fo o'r adeilad, rhwygwch y tudalennau, neidiwch ar ei ben, rhwygwch o eto i wneud yn siŵr ac yna claddwch y cyfan yn DDWFN dan y ddaear. I wneud yn hollol siŵr.

Bydd y llyfr OFNADWY yma, ac mae o'n ofnadwy, yn enwedig y sullafi, yn ddylanwad drwg iawn ar feddyliau ifanc. Bydd yn rhoi llawer o syniadau i blant drygionus am sut i fod yn fwy drygionus, ac mae rhai ohonyn nhw'n ddrwg iawn yn barod. Mae'n sefyllfa ddychrynllyd, ac rydw i'n meddwl y dylai'r llyfr gael ei wahardd. Dylai **MR WALIPRAMS** (neu beth bynnag ydi ei hen enw gwirion) fod â chywilydd.

Pam na all yr hen ffŵl, sy'n edrych fel cwpwrdd dillad mewn siwt, sgwennu llyfr neis am blant neis sy'n gwneud pethau neis? Pam ddim sgwennu stori am ferch ifanc sy'n garedig wrth gathod bach? Neu hanes bachgen ffeind sy'n helpu pilipala sydd wedi brifo i groesi'r lôn? Neu stori am ddau blentyn yn mynd i gae i gasglu blodau gwylltion i'w mami annwyl sy'n dioddef o gur pen?

Gallai'r llyfr gael ei alw'n

PLANT HYFRYTAF, ANWYLAF, MWYAF CAREDIG, GORAU'R BYD.
Ond na.

Yn lle hynny, dyma i chi lond bwced o straeon am blant gyda phenolau gwyntog, plant sy'n dysgu i'w llau pen wneud pethau ofnadwy, a phlant sy'n pigo eu trwynau nes eu bod nhw'n dod o hyd i snotyn mwya'r byd.

Dyma blant na fyddai'n cael dod ar gyfyl fy siop bapurau newydd, sydd wedi cael ei dewis yn siop bapurau orau'r stryd.*

* SIOP BAPURAU HUW YW'R UNIG SIOP BAPUR AR Y STRYD. FE DDAETH YN AIL MEWN CYSTADLEUAETH I DDEWIS Y SIOP BAPUR ORAU. SIOP TRIN GWALLT ENILLODD.

Fyddwn i byth yn gadael i'r plant AFIACH yma gymryd mantais o'r cynigion arbennig yn fy siop – FEL 103 TIWB O SHERBERT AM BRIS 102, NEU PRYNWCH EICH PWYSAU MEWN MINT, A CHEWCH UN AM DDIM. BRYSIWCH I GYMRYD MANTAIS O'R CYNIGION UNIGRYW YMA!**

** DOES DIM RHAID BRYSIO – MAE GEN I LAWER IAWN O STOC, AC MAE'R CYFAN WEDI MYND BRAIDD YN HEN A LLWYD YN BAROD.

Y peth gwaethaf oll ydi nad ydw i'n cael fawr o ran yn y llyfr hwn o gwbl! Mae'r peth yn wirion bost! Fi ydi'r cymeriad mwyaf clyfar a mwyaf golygus a ddaeth o feddwl tywyll ac afiach MR WIBLIAMS. Dim ond sgwennu cyflwyniad y cefais i ei wneud, a hwnnw'n ddim ond dau dudalen. Dau dudalen! Cywilydd ar MR MALUAMS!

Yn ddig,

HUW WYCH, O SIOP BAPURAU HUW

CYNNWYS

FALMAI t.135
Fudr

BOBI JO t.159
oedd yn iawn BOB TRO

TANWEN t.179
Torri Gwynt

DYFAN t.209
Difrifol

SARA t.241
Soffa

GUTO
Glafoerio

GLAFOER GWLYB

PWLL O BOER

SGIDIAU A SANAU GWLYB
AR ÔL BOD YN Y PWLL O BOER

GUTO
Glafoerio

Un tro roedd bachgen o'r enw Guto.

Roedd o'n **GLAFOERIO**'n aml. Nid glafoerio arferol oedd hyn, nid ambell ddriblyn tew yn rhedeg i lawr ei ên. O, na, glafoerio ar RADDFA FAWR oedd hyn. Litr ar ôl litr o boer bob dydd.

Efallai eich bod chi'n meddwl pam bod Guto'n glafoerio gymaint.

Wel, yr ateb i hynny ydi fod Guto'n ddiog iawn. Petai'n gallu gwneud, byddai'n cysgu am **24 awr y dydd, 7 diwrnod yr wythnos, 365 diwrnod y flwyddyn**.

Ac wrth i Guto chwyrnu, byddai'n glafoerio.

'ZZZZZzz.'

PLOP!

Dyna'r sŵn a wnâi'r poer wrth lanio ar lawr.

'ZZZZZZzzzz.'

PLOP!

Byddai Guto'n gorfod cael ei lusgo o'i wely gerfydd ei draed ar foreau ysgol. Byddai wedi bod wrth ei fodd petai ffordd iddo fynd i'r ysgol yn ei wely. Yna, pan fyddai'n cyrraedd y dosbarth, byddai'n medru mynd yn ôl i gysgu.

'ZZZZZzz.'

PLOP!

'ZZZZZZZZZZZzzz.'

PLOP!

Roedd Guto wrth ei fodd yn cysgu yn ystod y gwersi. Weithiau, byddai'n mynd â sach gysgu i'r ysgol er mwyn gallu cysgu'n glyd drwy bob gwers.

Roedd hi'n anodd cysgu drwy'r gwersi addysg gorfforol, ond llwyddai Guto bob tro. Er enghraifft, pan oedd y dosbarth yn chwarae pêl-droed, byddai Guto'n gwneud yn siŵr ei fod o'n cael chwarae yn y gôl, ac yna fe fyddai'n dringo ar ben y rhwyd ac yn cysgu. Pan fyddai un o'r plant yn dathlu wrth sgorio, byddai'n cwyno eu bod nhw'n gweiddi'n rhy uchel ac yn amharu ar ei gwsg.

Am fod Guto'n cysgu ym mhob gwers, doedd o ddim wedi dysgu rhyw lawer yn yr ysgol.

Pan fyddai Guto'n cysgu yn y dosbarth, byddai'n **GLAFOERIO** dros ei ddesg.

'ZZZZZZz.'

PLOP!

'ZZZZZZZZZZZZz.'

PLOP!

'ZZZZZZZZZZZZZZZZZZZ.'

PLOP!

Byddai'r **poer** yn llifo i'r llawr, gan greu pwll afiach. Os oedd hi'n wers ddwbl, byddai'r pwll yn debycach i lyn.

Doedd neb yn siŵr beth oedd ym mhoer Guto. Roedd o'n glir fel dŵr, ond yn **drwchus** a **gludiog**.

Un tro, brysiodd Miss Stalwm, ei athrawes Hanes, draw at ddesg Guto i ddweud y drefn wrtho am syrthio i gysgu eto.

LLITHRODD y ddynes druan ar y **POER**, a gwibio'r holl ffordd draw at y **ffenest** cyn syrthio **allan.** 'AAAAAAAAAA!'

Daethpwyd o hyd iddi ben i waered mewn perth, ei sgert hen ffasiwn dros ei phen a'i **nicyrs mawr gwyn** yn fflapian yn y gwynt.

Mae'n stori ni'n dechrau ar yr un diwrnod â thaith yr ysgol i

· AMGUEDDFA GENEDLAETHOL CYMRU ·

Roedd o'n lle anhygoel, yn llawn o drysorau – fel craig o'r Lleuad, sgerbwd deinosor a model o forfil anferthol.

Wrth i'r bws barcio y tu allan i'r amgueddfa, rhoddodd Mr Plwmper, yr athro Gwyddoniaeth, daflen waith i bob un o'r disgyblion. 'Rŵan, gwrandewch! Rydw i am i chi nodi pob un eitem a welwch chi yn yr amgueddfa heddiw.'

'Oes raid i ni, syr?' cwynodd **Guto Glafoerio**, cyn dylyfu gên. Roedd cysgu ar y bws am awr wedi'i flino, ac roedd o'n barod am ei wely. O dan ei sedd ar y bws, gorweddai pwll bach o boer.

'Wrth gwrs bod rhaid!'

gwaeddodd yr athro.

'Ac mae'n rhaid i ti aros yn effro ar y trip yma!' Trodd Mr Plwmper at weddill y plant. 'Bydd y plentyn sy'n nodi'r nifer mwyaf o eitemau yn ennill y marciau uchaf. Felly cadwch eich llygaid a'ch clustiau yn agored. I ffwrdd â chi, 'ta!'

Wrth i'r disgyblion gerdded drwy ddrysau mawrion yr amgueddfa, rhyfeddodd y plant at y **sgerbwd deinosor** oedd yn ganolbwynt i'r amgueddfa. Ond dylyfu ei ên wnaeth Guto.

Sleifiodd oddi wrth ei athro a'i ffrindiau i chwilio am rywle clyd i gysgu. Cafodd le delfrydol ar ben bocs gwydr oedd yn cynnwys dodo wedi'i stwffio – roedd yr aderyn go iawn wedi diflannu o'r tir ganrifoedd yn ôl. Fyddai neb yn dod o hyd i Guto yn fan'no.

Dringodd Guto i ben y bocs ar hyd gwddf JIRÁFF WEDI'i STWFFiO.

Gorweddodd a chau ei lygaid. Yna cysgodd yn drwm, drwm, drwm.

GLAFOERiODD a GLAFOERiODD a GLAFOERiODD.

Gallai Guto gysgu yn rhywle – ar ei draed
mewn **cyngerdd roc**, yn hongian o goeden
BEN I WAERED,
hyd yn oed ar ddwmbwr-dambar mewn ffair
pan oedd pawb o'i gwmpas yn sgrechian.

Ar y diwrnod arbennig yma, cysgodd Guto
am hir. Roedd o'n dal i gysgu pan gaeodd
• AMGUEDDFA GENEDLAETHOL CYMRU •   a chlowyd
y drysau am y dydd. Roedd o'n dal yno pan ddiffoddwyd
y goleuadau i gyd.

Cysgodd Guto drwy'r nos, ac wrth iddo gysgu, **GLAFOERiODD**.

'ZZZZZZZZZZZZZZ.'

PLOP!

'ZZZZZZZZZZZZZZZZZZZZZZZ.'

PLOP!

'ZZZZZZZZZZZZZZZZZzzzzzzzzz.'

PLOP!

GLAFOERiODD a **GLAFOERiODD** a **GLAFOERiODD**
Guto. Yna, **GLAFOERiODD** ychydig mwy. Tyfodd y smotyn
o boer oddi tano yn bwll. Cyn bo hir, roedd wedi troi'n llyn
o lafoer. Erbyn y wawr, roedd môr o **BOER** Guto
wedi llenwi • AMGUEDDFA GENEDLAETHOL CYMRU •

Yn y bore, cyrhaeddodd Gwynfor, y dyn diogelwch, i ddatgloi'r drysau ac agor yr amgueddfa, yn ôl ei arfer. **Ond nid diwrnod arferol oedd heddiw.**

Y peth cyntaf welodd Gwynfor oedd hylif clir yn llifo dan y drws.

'Dyna beth **od,'** meddai. 'Mae'n siŵr mai ryw hen athro wnaeth anghofio diffodd rhyw dap.'

Yna, cyffyrddodd Gwynfor yr hylif gyda blaen ei droed, a sylweddoli nad dŵr o dap oedd hwn. Beth bynnag oedd o, roedd o'n **DRWCHUS** ac yn **LUDIOG**.

Agorodd Gwynfor y drysau'n gyflym, yn poeni bod yr amgueddfa dan ddŵr.

Doedd o wir **ddim** yn disgwyl yr hyn ddigwyddodd **nesaf** ...

WWWWWSH!

Daeth **TON ENFAWR** o **BOER** i'w gipio a'i sgubo ymaith i lawr y stryd

'**WAAAA!**' sgrechiodd y dyn mawr fel baban.

Dilynwyd Gwynfor gan rai o eitemau mwyaf yr amgueddfa – arth wen wedi'i stwffio, model enfawr o forfil, a hyd yn oed **esgyrn diplodocws**.

Teithiodd popeth ar hyd strydoedd Caerdydd ar y **llif anferth o BOER**.

Ar ben y bocs gwydr oedd yn dal y dodo roedd Guto.

Roedd o wedi deffro, **o'r diwedd,** yn yr holl dwrw.

Wrth iddo deithio ar ben y bocs, roedd y don fawr o'i boer yn **dinistrio** popeth.

Cyn bo hir,

roedd **ceir, lorris** a bysiau

yn arnofio ar y

môr

anferth o

LAFOER.

Neidiodd Guto o'r bocs i do adeilad cyfagos.

Safodd ar y to yn gwylio rhai o eitemau prin yr amgueddfa yn

arnofio heibio.

Wyau deinosor,

gorila wedi'i stwffio,

model o eliffant.

Rhoddodd y bachgen ei law yn ei boced.

Roedd ganddo'r rhestr roedd Mr Plwmper wedi'i rhoi iddo

ar ddechrau'r trip. Gwnaeth Guto nodyn o **bopeth** oedd

yn ei basio.

Gwibiodd pob un eitem gwerthfawr heibio, ac ysgrifennodd Guto'r cyfan ar y papur.

'craig o'r blaned Mawrth,

penglog o Oes y Cerrig,

cerflun o Charles Darwin,

môr-lawes fach,

fwltur wedi'i stwffio,

hen dractor,

model o T-Rex …'

 Roedd y rhestr yn tyfu a thyfu.

'morfarch mewn jar,

blodyn prin o'r Wyddfa,

Ffosil o bysgodyn hen iawn,

siwt ofod,

jiráff wedi'i stwffio,

hen ddynes yn dal basged siopa –

arhoswch funud, dynes go iawn ydi honna –

model o famoth blewog.'

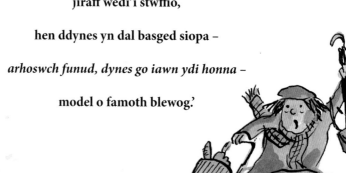

A bod yn deg, treuliodd Guto oriau yn nodi pob dim a welai yn arnofio ar y don o BOER, cyn i bopeth gael ei olchi i'r môr.

Yn yr ysgol y diwrnod wedyn, rhoddodd Guto ei daflen waith i'r athro yn falch. Heblaw am ambell smotyn o BOER, roedd yn berffaith. Ar ôl edrych drwy waith pawb, cododd Mr Plwmper ar ei draed i gyhoeddi'r canlyniad.

'Mae'n gwbl glir mai'r enillydd, gyda marc arbennig o gant y cant, ydi Guto!' meddai.

Roedd y bachgen wedi dod i'r brig am y tro cyntaf erioed.

Ac yna, cafodd ei **ddiarddel** o'r ysgol!

Fel cosb am ddinistrio popeth yn

• AMGUEDDFA GENEDLAETHOL CYMRU • bu'n rhaid i Guto weithio yno.

Ei swydd oedd rhoi **esgyrn y diplodocws**, oedd wedi cael eu hachub o'r

môr, yn ôl at ei gilydd fesul un. Fyddai o ddim yn cael rhoi'r gorau iddi nes

bod y jig-so cymhleth yma wedi'i gwblhau.

Ni chafodd **Guto Glafoerio**

'run winc o gwsg am

ddeng
mlynedd

gyfan.

HEN STORI FAITH A LLAITH!

BETI
Bw-hw

LLEFAI BETI'N DDI-BAID. Byddai'n sgrechian. Byddai'n udo. Byddai'n wylo'r glaw. Dim ond wyth oed oedd hi, ond roedd hi wedi treulio o leiaf saith o'r wyth mlynedd hynny yn crio.

Byddai'r peth lleiaf

yn gwneud iddi lefain.

Sŵn uchel

Tawelwch

Golau llachar

Tywyllwch

Cŵn bach

Cŵn mawr

Cŵn maint canolig

Llygod

Brogaod

Llyffantod

Penbyliaid

Peli bownsio

Tân gwyllt

Llwch

Gwres

Oerfel

Hwyaid o bob math

Sudd oren gyda darnau ynddo

Tost wedi llosgi

Tegellau

Sticeri

Gwair gwlyb

Meinciau mewn parc

Dynion gyda thatŵs

Awyrennau

Unrhyw beth porffor

Blew cathod

Glaw

Llithrennau dŵr

Mwd

Unrhyw beth plastig

Cracers Nadolig

Cyrens mewn bisgedi

Cestyll bownsio

Arogleuon o unrhyw fath,
hyd yn oed y rhai hyfryd

Cymylau

Mwstashys

Llysiau

Torri gwynt

Aeliau trwchus

Blew trwyn

Blew clust

Pobl yn gwisgo hetiau

Roedd gan yr eneth fach frawd o'r enw Gwilym. Ers ei ddiwrnod cyntaf ar y Ddaear, roedd Beti wedi bod yn **greulon** wrth Gwilym. Roedd hi'n casáu gorfod rhannu sylw ei rhieni.

Yna, un diwrnod, sylweddolodd Beti y gallai grio ar unrhyw **adeg**, a rhoi'r **bai** ar ei brawd. Y mwyaf y byddai hi'n crio, y mwyaf o sylw byddai'n **ei** gael.

Felly dyfeisiodd Beti **nifer o ffyrdd** ofnadwy i wneud i Gwilym ymddangos yn **ddrwg**. Hoff gêm Beti oedd **crio** a **chrio** a **chrio** ar ei phen ei hun yn ei llofft, gan ddweud mai Gwilym oedd wedi'i brifo. Pan fyddai Mam yn rhuthro i fyny'r grisiau i weld beth oedd o'i le, byddai Beti'n dweud drwy ei dagrau, 'Mam, **Gwilym** wnaeth! Mae o wedi 'MHINSIO i! Wedi 'MHINSIO i'n galed ar **fy mraich!**'

Weithiau, byddai Beti wedi PINSIO'i hun go iawn, ac yna'n dangos y **MARC** bach coch i'w mam i fel **prawf** fod Gwilym wedi'i brifo.

'WAHAHAHAHAHAHAHAHAHAHAHAHAHAHAHAHAHA

bloeddiai.

Yna, byddai Mam yn martsio i'r ystafell drws nesaf – ystafell
Gwilym – i ddweud y drefn. Fel arfer, byddai Gwilym yn darllen
neu'n chwarae'n dawel gyda wadin arbennig yn ei glustiau. Roedd wedi
dioddef bywyd cyfan o ubain swnllyd ei chwaer, felly dyfeisiodd y
bachgen clyfar blygiau clust effeithiol iawn, sef dau farshmalo mawr,
meddal.

'Pam wnest ti binsio dy annwyl chwaer?' gofynnai Mam yn ddig.

'Be?!' gofynnai Gwilym. Doedd hi ddim yn hawdd clywed gyda
marshmalos yn ei glustiau.

'Pam fod gen ti farshmalos yn dy glustiau?'

Byddai Gwilym yn tynnu'r da-da allan o'i glustiau a mynnu nad oedd
o wedi gwneud dim o'i le.

'Wnes i ddim cyffwrdd pen fy mys ynddi, Mam!'
meddai'r bachgen druan. 'Dwi wedi bod yn darllen
yn fy llofft drwy'r dydd!'

'Choelia i fawr!' meddai Mam.

'Dim pwdin i ti ar ôl swper heno!'

'Ond…!'

'Dim pwdin am wythnos!'

'Ond…!'

'Dim pwdin am fis!'

O'r diwedd, byddai Gwilym yn tawelu. Roedd o'n hoffi pwdin.

Ond dim gymaint â'i chwaer. Roedd y ferch fach **wrth ei bodd** gyda phwdinau; hoffai ei phwdinau yn fwy, hyd yn oed, na'i dagrau.

Un tro, mewn becws yn y dref, ceisiodd **ffeirio'i** brawd am dafell o gacen siocled. Roedd hi yn dafell fawr, wedi'r cyfan …

Os nad oedd Gwilym yn cael pwdin, byddai Beti'n cael bwyta ei bwdin o. Pwdin DWBL! Y cyfan oedd yn rhaid i Beti ei wneud oedd rholio ar ei gwely yn CRiO.

Ar ddiwrnod ein stori ni, roedd y plant ar eu pennau eu hunain yn y tŷ. Roedd Mam yn yr ardd yn tendio ar ei hannwyl rosod, a Dad yn torri'r glaswellt.

Wrth weld nad oedd ei rhieni yn y tŷ, dechreuodd Beti gynllwynio. Dyma oedd ei chynllun gwaethaf erioed, un syml ond yn glyfar a chreulon iawn: Byddai Beti'n tynnu llond llaw o'i gwallt o'i phen, ac yn sgrechian crio. Byddai Mam a Dad yn rhedeg i mewn i'r tŷ, a Gwilym fyddai'n cael y bai. Byddai Mam a Dad yn siŵr o feddwl mai dyma oedd y peth gwaethaf i Gwilym wneud i'w chwaer erioed. Roedd tynnu gwallt o'r pen yn waeth na PHINSIO, **pwnio**, PWYNTIO, **brathu**, cnoi a chicio. Byddai'n siŵr o gael ei anfon i gartref plant yn syth bin. A byddai Beti'n cael DAU bwdin – TRI, EFALLAI! – bob nos am weddill ei bywyd.

Breuddwyd, yn wir.

Pwdin, pwdin a mwy o bwdin!

Troediodd yr eneth fach **ddrwg** at lofft ei brawd i wneud yn siŵr ei fod yno. Roedd o'n eistedd wrth ei ddesg yn dawel, yn gwneud ei waith cartref gyda'r ddau **farshmalo** yn ei glustiau.

Troediodd Beti'n ôl i'w llofft ei hun. Edrychodd ar ei hadlewyrchiad yn y drych, a dechrau ar gam un o'i **chynllun**. Cydiodd mewn llond dwrn o wallt, caeodd ei llygaid yn dynn, a thynnodd ar ei gwallt gyda'i **holl nerth**. Doedd Beti ddim angen smalio crio'r tro hwn. Roedd y boen yn **arteithiol.**

Syllodd ar y gwallt yn ei llaw ac ar y darn **moel**

ar ei phen. Roedd o tua 'run maint â phêl

ping-pong. Clustfeiniodd Beti i glywed a oedd ei rhieni ar eu ffordd

ati. Yn rhyfedd iawn, doedd **dim** smic.

Felly gwnaeth Beti'r un fath **eto.**

'WAHAHAHAHAHAHAHAHAHAHAHAHAHAHAHAHAHAHAHAHAHAHAHAHAHAHAHAHAHAHAHAHAHAHAHAHAHAHAHiiii!

A thynnodd

fwy o wallt

o'i phen.

Roedd **dau gylch moel** ar ei chorun nawr.

Roedd yr un newydd tua'r un maint â phêl DENNIS.

Ond doedd **dal** dim sôn am neb.

Felly gwnaeth Beti'r un fath **eto**.

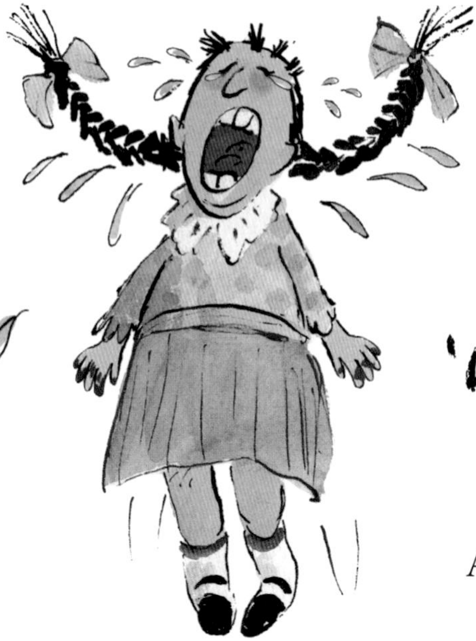

'WAHAHAHAHA!'

Ac **eto**.

'WAHAHA!!'

Ac **eto**.

'WAHAHAHA
HAHAHAHAHA
HAHAHAHAHA
HAHAHAHA
HAHAHAHA

HAHAHAHA
HAHAHAHAHA
HAHAHAHAHA
HAHAHA
HAHAHA
HAHAHA
HAHAHA
HAHAHA
HAHA!!!

Llosgai llygaid Beti gan **boen.**

Prin y medrai weld o gwbl.

TYNNODD

y ferch fwy

a mwy

a **mwy,**

o'i gwallt

o'i **phen.**

Ar ôl ychydig, sychodd Beti ei dagrau a syllodd yn y drych.

Roedd hi'n **gwbl foel,** heblaw am un blewyn unig ar ei chorun.

Yn sydyn, clywodd sŵn a throdd i edrych ar ddrws ei llofft. Cafodd **sioc** o weld ei mam, **ei thad a'i brawd** yn ei gwylio drwy gil y drws.

Syllodd Beti arnyn nhw am funud,

a syllodd y tri yn ôl ar Beti mewn syndod.

Sut oedd hi'n mynd i

esbonio hyn?

Doedd gan Beti ddim syniad beth i'w wneud, felly gwnaeth beth fyddai hi'n ei wneud bob tro. Crychodd ei hwyneb, a dechreuodd weiddi.

'WAHAHAHAHAHA!'

Roedd hynny'n gweithio bob tro.

'WAHAHAHAHAHAHA!'

Heblaw'r tro HWN.

'Pam yn y byd wyt ti'n crio?' gofynnodd Dad.

'Achos, Mam a Dad annwyl, mae'r hen frawd cas 'na 'sgin i wedi tynnu 'ngwallt I GYD!' atebodd y ferch drwy ei dagrau dramatig.

Crechwenodd Gwilym ar ei chwaer, oedd wedi cael ei dal o'r diwedd.

'Ond mae gen ti un blewyn bach ar ôl, Beti,' meddai'r bachgen.

Syllodd Beti yn y drych eto. Roedd golwg braidd yn od arni, gyda dim ond un blewyn, felly TYNNODD yr un bach olaf o'i phen â'i bysedd.

'Wnaeth hynny ddim brifo!' meddai Gwilym. 'WAHAHAHAHAHAHA'Dim ond un blewyn bach fel 'na!'

Roedd Beti'n dechrau anobeithio.

'O-o-ond TI dynnodd y blew eraill i gyd, Gwilym, yr hen genna' DRWG i ti!'

'Rydyn ni wedi bod yn sefyll yma ers tro, Beti,' meddai Mam yn sychlyd.

'Ac mi wnaethon ni weld yr **holl** beth,' ychwanegodd Dad.

Lledodd gwên **hunanfodlon** dros wyneb Gwilym.

'O-o-ond...' dechreuodd Beti.

'Mae'n rhaid dy fod ti wedi bod yn gwneud pethau fel hyn ers blynyddoedd!' meddai Mam.

'O-o-o-o-ond...'

'Dim pwdin i ti, madam,' cyhoeddodd Dad.

Tawelodd Beti am ychydig. Doedd hynny ddim yn swnio'n rhy ddrwg. Un noson heb bwdin. Roedd hi wedi cuddio llwyth o siocled o dan ei gwely, beth bynnag. Yna, fel roedd hi'n dechrau teimlo'n well, dywedodd Mam y geiriau mwyaf digalon erioed.

'...BYTH ETO!'

Rhewodd Beti. Roedd hyn yn waeth na bod yn foel. Dim pwdinau!

Ond roedd Beti'n caru pwdinau. Pe bai'n cael ei ffordd ei

hun, fyddai'n bwyta dim byd ond pwdinau, pwdinau,

pwdinau. Sut allai unrhyw un fyw heb:

cacen

a

hufen iâ

a

a

meringues a hufen

a

chacen sbwnj

a

theisennau cwstard

melysgybolfa

a

a

chacennau ffansi

phwdin triog

a

chrymbl afal a chwstard

a

jeli

a

a

phwdin cyrens

a

a

chacennau bach

phwdin taffi trwchus

a

roli poli jam

a

phwdin siocled

a

a

threiffl?

Gorau oll os oedd y cyfan

ar gael ar yr **un tro.**

a

bysedd brandi

'Wir, Mam?' ymbiliodd y ferch. 'Fedr hyn ddim bod yn wir! Dim pwdinau am byth?'

'Am byth bythoedd amen,' atebodd Mam, oedd yn gandryll fod ei merch wedi bod yn eu twyllo nhw ers blynyddoedd.

Nawr, byddai'n rhaid i Beti wylio ei brawd dros y bwrdd bwyd wrth iddo sglaffio nid yn unig ei bwdin ei hun, ond pwdin Beti hefyd.

DAU
bwdin!

Y rhan fwyaf o'r amser, byddai Gwilym yn cael pwdin Mam hefyd. Teimlai hi'n euog ei fod o wedi cael y bai ar gam am flynyddoedd.

TRI
phwdin!

Yn aml iawn, byddai'r bachgen yn cael bwyta pwdin ei dad hefyd.

PEDWAR
pwdin!

Roedd hi'n **artaith** i'r ferch orfod gwylio ei brawd yn bwyta ei hoff **bwdinau** hi dro ar ôl tro ar ôl tro, a hithau ddim yn cael yr un briwsionyn.

Tarten almon,
Rhôl sbwnj a hufen iâ,
Melysgybolfa;

Byddai Gwilym yn
llyfu pob
bowlen yn lân!

Ac ar ben y cyfan, byddai'r bachgen yn PINSIO coes ei chwaer wrth iddo **lenwi ei fol.**

'Mae o wedi 'MHINSIO i!' llefai Beti.

Ond doedd **neb** yn ei chredu.

Roedd

BETI Bw-hw

wedi dweud bw-hw'n **LLAWER, LLAWER** rhy aml.

LLEU
Llau Pen

LLAU, LLAU A MWY O LAU

MR ISLWYN

GWALLT FEL NYTH BRÂN

LLEU
Llau Pen

Mae llau yn cosi, mae llau yn brathu, mae llau yn tyfu, mae llau yn **BOEN**.

Nid i Lleu. Roedd Lleu yn hel llau pen. Roedd o am weld ei ben yn **BERWI** gyda nhw.

Mae'n stori ni'n dechrau ar y bore y deffrôdd Lleu a sylweddoli bod un **lleuen** wedi gwneud ei chartref yn ei wallt. Byddai'r rhan fwyaf ohonom ni'n ffieiddio, ac yn gwneud ein gorau i gael gwared ar y lleuen.

Ond nid Lleu. Roedd o **wrth ei fodd**.

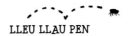

Rhoddodd enw i'r lleuen – MR ISLWYN. Doedd dim ci na chath na bochdew gan Lleu, felly dechreuodd drin ei leuen fel anifail anwes. Gwnaeth yn siŵr nad oedd o byth yn cribo'i wallt (mae llau yn casáu cribau). Cyn bo hir, roedd gwallt Lleu yn *fawr* ac yn **wyllt**, fel nyth brân.

Paradwys nefolaidd i lau pen.

CYN

AR ÔL

Bwydodd Lleu ddarnau o ddandryff i Mr Islwyn (mae llau pen wrth eu boddau gyda dandryff), ac roedd ganddo gynlluniau i hyfforddi'r creadur bach i wneud triciau, fel bownsio'n uchel o ganol gwallt Lleu.

Yn fuan wedyn, clywodd Lleu am blentyn arall yn ei ysgol oedd â llau pen. Ei henw oedd Tina Ting. Roedd Lleu eisiau llau pen Tina yn fwy nag unrhyw beth yn y byd. Roedd o am gael llau, **llau** a mwy o lau!

Rhedodd Lleu ar ôl Tina druan o gwmpas y buarth amser chwarae.

'Be wyt ti eisiau?' gofynnodd Tina'n ddagreuol. 'Dwi ddim eisiau chwarae tic!'

'Dwi eisiau dy **lau pen** di!' atebodd y bachgen.

'**Fy llau?** Rwyt ti'n wirion bost!' gwaeddodd y ferch.

'Yn **wirion bost** am **lau pen!**' mynnodd Lleu.

Baglodd y bachgen dros sglefrfwrdd a gwibio drwy'r awyr tuag ati.

CLONC! Trawodd eu pennau yn erbyn ei gilydd, ac mewn chwinciad chwannen, dringodd **llau pen** Tina i ganol gwallt *gwyllt* Lleu ...

Er ei fod o fymryn yn simsan, roedd Lleu'n hapus – roedd gan Mr Islwyn gwmni o'r diwedd.

Y diwrnod wedyn, clywodd Lleu am fachgen yn yr ysgol oedd â llau pen: Cefin Caint. Roedd Lleu'n **torri ei fol** eisiau'r llau yna, felly gwibiodd i lawr y coridor ar ôl Cefin a'i gornelu yn y tai bach.

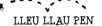

Cuddiodd y bachgen druan, ond doedd hynny ddim yn gwneud gwahaniaeth i Lleu. Dringodd dros ddrws y tŷ bach a hongian dros yr ochr gyda'i ben i lawr. Trawodd pennau Lleu a Cefin.

DONC!

Unwaith eto, llamodd y llau draw i wallt gwyllt Lleu.

Roedd yn rhaid i Mirsi'r **gath** guddio rhag Lleu, hyd yn oed. Pan glywodd y bachgen fod gan Mirsi lau pen, rhedodd ar ei hôl dros y cae pêl-droed. Pan gafodd afael ar y gath, defnyddiodd dâp i'w sticio ar ei **ben.** Edrychai fel wig di-chwaeth.

Fesul un, bownsiodd llau Mirsi i ganol gwallt gwyllt Lleu.

Cyn bo hir, roedd gan Lleu gymaint o lau, roedd gan ei lau pen lau pen eu hunain. Rhoddodd y gorau i'w cyfri ar ôl cyrraedd

miliwn a **thri.**

*   *   *

Efallai eich bod chi'n ceisio deall pam bod Lleu am gael llau pen.
Gwell i mi esbonio. Ers ei fod yn fachgen bach, bach, roedd Lleu
wedi mwynhau darllen comics. Roedd o'n un byr am ei oed
(os nad ydych chi'n cyfri'r llwyn gwyllt o wallt ar ei ben),
a breuddwydiai am fod yn gryf ac yn BWERUS fel y
cymeriadau yn ei gomics. Ond roedd Lleu wedi cael magwraeth
normal iawn. Chafodd o ddim ei

frathu gan *GORRYN YMBELYDROL*,

na'i eni ar *BLANED GYFRINACHOL*,

na'i fagu gan deulu o *YSTLUMOD NERTHOL*.

A beth bynnag, roedd o'n meddwl fod archarwyr braidd yn ddiflas, yn
gwneud pethau da o hyd. Roedd y rhai dieflig yn fwy difyr o'r hanner!
Cyn bo hir, roedd gan Lleu ddrwg gynllun.

Un bore, wrth frwsio ei ddannedd yn yr ystafell ymolchi, syllodd y
bachgen ar ei adlewyrchiad yn y drych. Roedd ei wallt bellach fel perth
oedd wedi bod yn tyfu'n wyllt ers blynyddoedd. Fedr Lleu ddim cofio'r
tro diwethaf iddo ei dorri, na'i gribo.

Yn gwmwl du o'i gwmpas, roedd **biliynau** o lau pen yn neidio ac yn llamu i mewn ac allan o'i wallt gwyllt.

'Mae'r dydd wedi dod o'r diwedd! Mae fy mhŵer arbennig yn **barod!** O hyn ymlaen, nid bachgen cyffredin fydda i. Fi yw ...

LLEU LLAU!'

Roedd ganddo'r enw **perffaith** i fod yn ddihiryn gyda llau pen, doedd?

Gan fod gan Lleu bellach filiynau o **lau pen,** roedd angen **gwisg archddihiryn** arno. Wrth lwc, roedd ei Anti Pat yn dda iawn gyda'i pheiriant gwnïo, felly fe wnaeth hi **wisg arbennig** iddo mewn dim o dro.

Gwisgai Lleu …

mantell hen ffasiwn wedi'i chreu o un sgertiau ei fam

Logo LlLl (Lleu Llau), wedi'i wnïo gan Anti Pat

hen drôns ei dad

teits crychiog Nain

welis

Roedd gan Lleu b**ŵ**er arbennig.

Roedd ganddo ei enw.

Roedd ganddo wisg arbennig.

Fo oedd *LLEU LLAU!*

A dechreuodd ar ei waith fel ARCHDDIHIRYN.

Y bore wedyn, brasgamodd i'r ysgol, ei fantell yn
chwyrlïo o'i gwmpas. Yn gyntaf, roedd Lleu
am dalu'r pwyth yn ôl i Mr Drwmhwn, ei athro
Daearyddiaeth. Roedd Lleu'n meddwl bod
Daearyddiaeth yn ddiflas, a byddai'n treulio'r
gwersi'n darllen comics. Cafodd ei gosbi dro ar
ôl tro. Nawr, safai **LLEU LLAU** wrth ddrws
y dosbarth. I ddechrau, chwarddodd y
plant wrth ei weld – am olwg oedd ar y bachgen
gyda'i wisg a'i wallt gwyllt!

'HA HA HA!'

Ond tawelodd pawb wrth i **LLEU LLAU** alw ei orchymyn cyntaf.

'LLAU – HEIDIWCH!'

Hedfanodd cwmwl du o lau o'i ben ac aros yn ei ymyl.

'Beth yn y byd wyt ti'n ei wneud, Lleu?' holodd Mr Drwmhwn.

'LLAU – YMOSODWCH!'

bloeddiodd y bachgen.

Heidiodd y llau o gwmpas yr athro, a'i bigo'n filain gyda'u crafangau miniog bychain.

'**AAAAA!**' gwaeddodd Mr Drwmhwn, gan redeg o'r dosbarth.

Brysiodd y plant at y ffenestri i wylio eu hathro.

Roedd y dyn yn gwneud ei orau i gael gwared ar y llau. Roedd o'n hoP^{ian} ac yn $t r o e l l i$ ac yn rhoi $slap$ iddo'i hun wrth iddo frysio dros y buarth tuag at y pwll pysgod.

Llamodd Mr Drwmhwn i'r dŵr gydag un **SBLOSH FAWR!**

O'r diwedd, cafodd ychydig o lonydd gan y llau. Er, roedd o nawr yn eistedd mewn pwll o lysnafedd gwyrdd gyda **broga** mawr ar ei ben.

Gwenodd *LLEU LLAU*.

Roedd hyn yn mynd i fod yn hwyl.

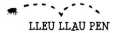
Nesaf, fe frysiodd dros y buarth i'r ffreutur. Draig o ddynes oedd Mrs Drwlp, y gogyddes. Ei hoff fwyd oedd brocoli wedi'i ferwi. Beth bynnag oedd ar y plât, hyd yn oed os mai roli poli jam a chwstard oedd yna, byddai Mrs Drwlp yn mynnu rhoi llond llwy fawr o frocoli'n stwnsh gwlyb ar ei ben. Yna, byddai'n brasgamu i fyny ac i lawr y ffreutur, yn troelli ei llwy fel pastwn, yn bygwth taro unrhyw un oedd ddim am fwyta pob un gegaid.

Roedd Lleu'n casáu brocoli. Os oedd Superman ofn Kryptonite, roedd **LLEU LLAU** ofn brocoli. A nawr roedd hi'n amser talu'r pwyth yn ôl i'r ddynes oedd wedi'i orfodi i fwyta mynyddoedd ohono.

'Lleu!' meddai Mrs Drwlp wrth ei weld yn cerdded i'r ffreutur. 'Pam wyt ti'n gwisgo dy drôns dros dy drowsus?

HA HA HA!'

Diflannodd gwên Mrs Drwlp wrth i **LLEU LLAU** weiddi ei orchymyn nesaf.

'LLAU –

AT Y

BROCOLI!'

'Wna i ddim dioddef dy hen lau pen budr di yn
fy mrocoli blasus!' meddai'r gogyddes.

Roedd hi'n rhy hwyr.

Ffurfiodd y llau drowynt pwerus.

Syllodd Mrs Drwlp yn gegagored wrth i'r cwmwl ffyrnig
droelli tuag at ei brocoli. Yna, dechreuodd y trowynt
saethu'r talpau gwyrdd, gwlyb,
yn syth at Mrs Drwlp.

SPLAT!

SPLAT!

SPLAT!

Fesul un, trawyd y ddynes gan y sypiau soeglyd nes ei bod hi'n
llanast llysieuog.

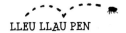
Nesaf, roedd hi'n bryd i **LLEU LLAU** wynebu ei brifathro. Roedd yr hen Mr Surbwch wedi gwahardd Lleu o'r ysgol ar ôl iddo gael ei ddal yn darllen comics mewn gwersi am y degfed tro. Dyn bychan, eiddil oedd y prifathro, felly dim ond eisiau rhoi mymryn o sioc i Mr Surbwch roedd **LLEU LLAU**. Safodd Lleu ar y buarth, dan ffenest y prifathro. Caeodd ei lygaid a chanolbwyntio.

'LLAU – TRAWSNEWIDIWCH!' gorchmynnodd.

Yn araf, heidiodd y llau at ei gilydd i greu siâp un archleuen enfawr. Gallai'r llau ddarllen meddwl eu meistr. Wrth i'r bachgen gau ei lygaid yn dynn, ac wrth i olwg o ganolbwyntio ddod i'w wyneb, cododd yr archleuen at ffenest y prifathro. Curodd ar y gwydr gydag un grafanc fawr.

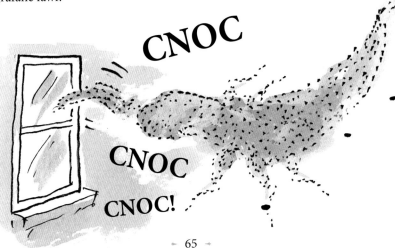

CNOC

CNOC

CNOC!

Troellodd Mr Surbwch yn ei gadair a bloeddio.

'NAAAAAAAAA!'

Curodd yr archleuen ei phen yn erbyn y ffenest, gan dorri'r gwydr.

CRAC!

'HELP!' gwaeddodd y prifathro wrth redeg o'i swyddfa.

Pan gyrhaeddodd y buarth, gwelodd fin mawr ar olwynion.

Gan edrych y tu ôl iddo am yr archleuen, gwthiodd yr hen ŵr y bin mor galed ag y gallai cyn neidio i'w grombil, a rhuthro fel y gwynt.

O'r diwedd, agorodd LLEU LLAU ei lygaid a gwyliodd yn llawen wrth weld ei brifathro'n gwibio dros y buarth mewn bin.

Trawodd wal isel ...

CLANG!

... a hedfanodd yr hen ŵr drwy'r awyr ac yn syth yn erbyn boncyff coeden.

PY-DWM!

Heidiodd y llau yn ôl i ben eu meistr wrth i Lleu fartsio allan drwy giatiau'r ysgol.

Roedd mwy o ARCHDDRYGIONI i'w gyflawni ...

Cyn bo hir, cyrhaeddodd **LLEU LLAU** sgwâr y farchnad, oedd yn llawn pobl yn chwilio am fargeinion. Gan ddefnyddio'i lau pen, ysgrifennodd Lleu air braidd yn ddireidus yn yr awyr ...

Llewygodd un hen wraig yn y fan a'r lle.

Nesaf, fe aeth **LLEU LLAU** i'r siop deganau. Gorchmynnodd i'r llau ddwyn pob un tegan yn y siop, a gwagu'r til hefyd.

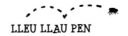
Rhedodd perchennog y siop ar ôl Lleu, ond cafodd ei **daro** ar ei ben gan un o'i dedis enfawr ei hun.

Ond doedd yr
anhrefn ddim wedi gorffen eto.

Yn sydyn, daeth fflach o oleuadau a sŵn seiren. Roedd rhywun wedi galw ar yr heddlu i roi stop ar **ddrygioni** Lleu. Ond dywedodd hwnnw wrth ei lau pen i ymosod ar gar yr heddlu, a **chwyrlïodd y llau** dros ffenest flaen y car. Doedd dim modd i'r heddwas druan **weld dim** o'i flaen, ac fe yrrodd i ganol siop optegydd.

CRASH!

OPTEGYDD

Doedd dim byd yn mynd i rwystro **LLEU LLAU** bellach. Roedd o'n bwerus. Cyn hir, byddai'n rheoli'r byd i gyd.

HENFFYCH *LLEU LLAU!*

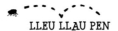

Yn hwyrach y noson honno, gorweddai Lleu yn ei wely, yn gwisgo'i hoff byjamas; wedi'r cyfan, mae ARCHDDIHIROD angen cwsg hefyd. Breuddwydiai am ei gynlluniau dieflig nesaf.

Ond, ar y stryd y tu allan, ymgasglodd criw o bobl yn dal – nid picweirch a ffaglau, fel bydd torfeydd dig yn arfer gwneud – ond cribau o bob lliw a llun. Roedd yn rhaid rhoi stop ar **LLEU LLAU**, a doedd ond un ffordd o wneud hynny.

Dechreuodd y dorf weiddi,

'Cribwch ei WALLT!

Cribwch ei WALLT!'

Cododd y floedd yn uwch ac yn uwch wrth i'r dorf fynd yn **wyllt gacwn.**

Neidiodd Lleu o'i wely ac edrych allan drwy'r ffenest. Roedd mwy o bobl yn cyrraedd ac yn ymuno â'r dorf flin.

Mewn cwmwl oedd yn *chwyrlïo* o lau pen, newidiodd Lleu o'i byjamas er mwyn cael troi yn ...

LLEU LLAU!

Brasgamodd drwy ddrws ei dŷ i gwrdd â'r dorf. Gyda'i welis ar ei draed a'i archfantell (wel, hen sgert ei fam) ar ei gefn, teimlai **LLEU LLAU**'n barod i herio'r byd.

Roedd ei filiynau o lau pen bellach wedi troi'n biliynau. Triliynau, efallai.[*]

LLAMODD a HEDFANODD y llau o gwmpas ei ben, gan dduo'r nos a'r sêr yn yr awyr.

[*] **Byddai'n anodd dyfalu'r nifer penodol, am fod cyfri creaduriaid sy'n mynnu symud o hyd yn dasg ANODD IAWN.**

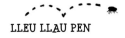
'Dyna fo!' bloeddiodd rhywun.

'LLEU LLAU!
Daliwch o!'

Symudodd y dorf ymlaen, eu cribau yn eu dwylo.

Roedd yr hen wraig oedd wedi llewygu yn sgwâr y farchnad yn dal

potel fawr o siampŵ arbenigol o'r enw **LLAI O LAU**. Roedd y

geiriau ar y label yn dweud:

> *Dyma elyn pennaf pob lleuen!* Mae'r siampŵ GWENWYNIG a drewllyd yma yn siŵr o ladd pob un wan jac. Gallwn WARANTU y bydd y swigod yn lladd pob lleuen nes y bydd yn **GWBL FARW!**

Roedd yr hen wraig yn benderfynol. Taflodd y botel o Llai o Lau

at Lleu, ond bownsiodd y botel oddi ar ei wallt a tharo'r hen

wraig ar ei phen. Llewygodd hithau.

Safodd Lleu Llau yn ddewr gan wynebu ei elynion.

Rhoddodd **orchymyn** i'r llau pen.

'LLAU – CODWCH FI!'

Gwibiodd y llau at ei gilydd, gan greu cwmwl ffyrnig o dan draed eu meistr a'i godi i'r awyr.

Ebychodd y dorf. Roedd yr ARCHDDIHIRYN yn gallu hedfan!

Gwibiodd y bachgen

drwy'r awyr dywyll,

gan hedfan mewn cylchoedd a throi tin-dros-ben uwchben y dorf.

'EWCH ADREF, CYN I **LEU LLAU**
YMOSOD ARNOCH Â'I **BWERAU** DIEFLIG!'

Dechreuodd y dorf drafod ymysg ei gilydd. Gwyddai pawb nad oedd modd trechu'r archddihiryn, ac eto, arhosodd pawb ar y stryd.

'EWCH ADREF!' gwaeddodd **LLEU LLAU**.

Ond mae'n rhaid bod y llau yn meddwl ei fod o'n siarad â nhw – dydy llau pen ddim yn greaduriaid clyfar iawn. Glywais i 'rioed am leuen yn perfformio llawdriniaeth ymenyddol, nac yn gwneud darganfyddiadau gwyddonol o bwys, felly aeth y llau ...

... ADREF.

Gyda Mr Islwyn yn eu harwain,

hedfanodd y llau i gyd i wahanol gyfeiriadau,

cyn diflannu

i'r nos.

Edrychodd **LLEU LLAU** i lawr ar y bobl yn y dorf.

Llyncodd wrth iddo ddechrau syrthio o'r
a
w
y
r.

Plymiodd at y ddaear,

ei freichiau bach

yn chwifio.

'HELP!'

Symudodd y dorf o'r ffordd, a glaniodd Lleu ar ei ben ar y palmant.

Diolch byth am ei wallt **trwchus,** achos chafodd o 'run anaf.

'DYMA'N CYFLE NI!'

bloeddiodd rhywun.

Aethpwyd â Lleu i'r **siop trin gwallt** agosaf, lle golchwyd ei wallt gyda siampŵ **LLAI O LAU,** a thorrwyd ei wallt yn steil **taclus,** call.

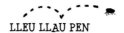
Cribwyd pob un lleuen ac wy o'i wallt, a bu'n rhaid i Lleu sefyll o flaen y dref i gyd a gwneud cyhoeddiad.

'Yr wyf fi, Lleu, yn addo na fyddaf byth eto'n troi'n **LLEU LLAU**.'

Efallai y bydd yn syndod i chi wybod bod Lleu wedi cadw ei addewid, er ei fod o'n un o Blant Gwaetha'r Byd.

Roedd **LLEU LLAU** wedi mynd am byth.

Cofiwch, yn fuan wedyn, penderfynodd Lleu ar enw newydd iddo'i hun, enw ARCHDDIHIRYN newydd sbon.

Nid Lleu mohono bellach, ond ...

FERŴCA-DDYN!*

Sef ARCHDDIHIRYN a wrthodai wisgo hosan blastig yn y pwll nofio er mwyn lledaenu pla o ferŵcas dros y byd.

Y peth gorau am hyn oedd y gallai Lleu ailddefnyddio'r fantell oedd wedi'i gwneud o hen SGERT ei fam.

MAE FERŴCAS YN BETHAU POENUS

*Yn ffodus iawn, doedd yr enw hwnnw erioed wedi cael ei ddefnyddio.

Miss LLIO
Byth-yn-Llonydd

DYMA STORI AM FERCH oedd yn symud o hyd.
Doedd Miss Llio Byth-yn-Llonydd, wel, doedd hi **byth** yn
llonydd. Hyd yn oed mewn gwers, yn y capel neu'n chwarae gêm
gerfluniau mewn parti, roedd rhyw ran ohoni'n symud o hyd – ei
throed, ei braich, ac weithiau ei chorff cyfan.

Byddai'n dechrau gyda

phlwc bach oedd

yn troi'n blwc mawr,

oedd wedyn yn troi'n

ddawnsio oedd wedyn

yn mynd yn CHWYRLÏO.

Yna, byddai'n troelli fel olwyn dros yr ystafell, gan greu anhrefn ym mhob man.

Symudai Llio yn ei chwsg hefyd.

Weithiau, byddai'r merched eraill yn ei hysgol, **Plas Propor**, yn clywed sŵn ynghanol y nos, ac yn sbecian dros ymyl eu dillad gwely i weld Llio'n dawnsio bale dros y llawr, ei llygaid ynghau.

Un diwrnod, cyhoeddodd prifathrawes grand **Plas Propor** fod y merched yn cael mynd ar drip ysgol arbennig iawn.

'Tawelwch, ferched!' gorchmynnodd y wraig o lwyfan y neuadd yn ystod y gwasanaeth. Gosodai Miss Prig ei gwallt gwyn mewn sypyn tal, a chrogai ei sbectol hanner-lleuad o'i gwddf ar gadwyn aur. Pan oedd hi ar fin dweud y drefn (ac roedd hynny'n digwydd yn aml), byddai'n codi'r sbectol at ei llygaid er mwyn syllu i lawr ar y plentyn yn llawn dirmyg dychrynllyd.

'Nawr 'te ferched, rydw i am fynd â chi ar drip ysgol i rywle yr ydw i, eich annwyl brifathrawes, wedi dewis fy hunan. Rydym ni'n mynd i fy hoff amgueddfa BORSLEN. Does dim rhaid i mi eich atgoffa 'mod i'n disgwyl ymddygiad perffaith gan bob un ohonoch. Dydw i ddim eisiau unrhyw ddamweiniau.'

Trodd pawb eu llygaid at Llio.

O NA! meddyliodd y merched *da* yn y rhes flaen.

O IA! meddyliodd y merched *drwg* yn y rhes gefn.

I wneud pethau'n waeth (neu'n well, os ydych chi ar ochr y merched drwg), roedd Llio'n bownsio ar ei chadair fel pêl fach rwber wrth i Miss Prig eu hannerch.

"BOING!
BOING!
BOING!

'Mae astudio **PORSLEN** wedi bod yn un o fy mhrif ddiddordebau ers blynyddoedd,' meddai'r brifathrawes, oedd wrth ei bodd yn gwneud areithiau hir. 'A nawr, rydw i, eich annwyl brifathrawes, am rannu'r diddordeb yna gyda chi. Yr amgueddfa hon yw'r orau yn Ewrop. Mae pob un darn yn y lle yn hynafol ac yn **werthfawr.** NI FYDD DAMWEINIAU. Ydy hyn yn gwbl glir?'

Daeth sŵn sisial gan y disgyblion.

'YDY HYN YN GWBL GLIR?' bloeddiodd.

'**Ydy,** Miss Prig,' meddai'r merched fel côr cydlefaru.

'Gwych! Nawr, Miss Llio Byth-yn-Llonydd, tyrd i fy swyddfa ar unwaith.'

Trodd wyneb Llio druan mor **goch** â thomato'n gyrru injan dân. Beth oedd hi wedi'i wneud **nawr?**

Roedd hi'n meddwl bod pawb **wedi anghofio** am yr holl fusnes efo'r chwyrlïo tuag yn ôl yn y labordy. Oedd, roedd yr arbrawf oedd yn cael ei gynnal yno ar y pryd wedi mynd o'i le. Ac oedd, roedd y twll yn y llawr lle roedd yr asid wedi llosgi drwy'r pren yn dal i fod yno. Ond roedd Llio wedi dweud a dweud – damwain oedd hi!

Ac oedd, roedd ei naid driphlyg ar ddiwrnod y mabolgampau wedi troi yn naid wythblyg (gydag wyth symudiad gwahanol), a damwain lwyr oedd y gic karate y rhoddodd Llio i'r maer,

y gic wnaeth bery iddo syrthio o'r llwyfan uchel.

Ac **wrth gwrs,** doedd hi ddim yn disgwyl i unrhyw un anghofio'r cyngerdd Nadolig pan **droellodd Llio fel olwyn** trwy **ganol yr eglwys,** gan daro'r ficer, a **faglodd** i mewn i'r cor.

Ond **damweiniau** oedd y cyfan.
Nid **bai** Llio oedd ei bod hi'n symud o hyd.

Roedd **mam** Llio wedi ysgrifennu nodyn
i **brofi** hynny.

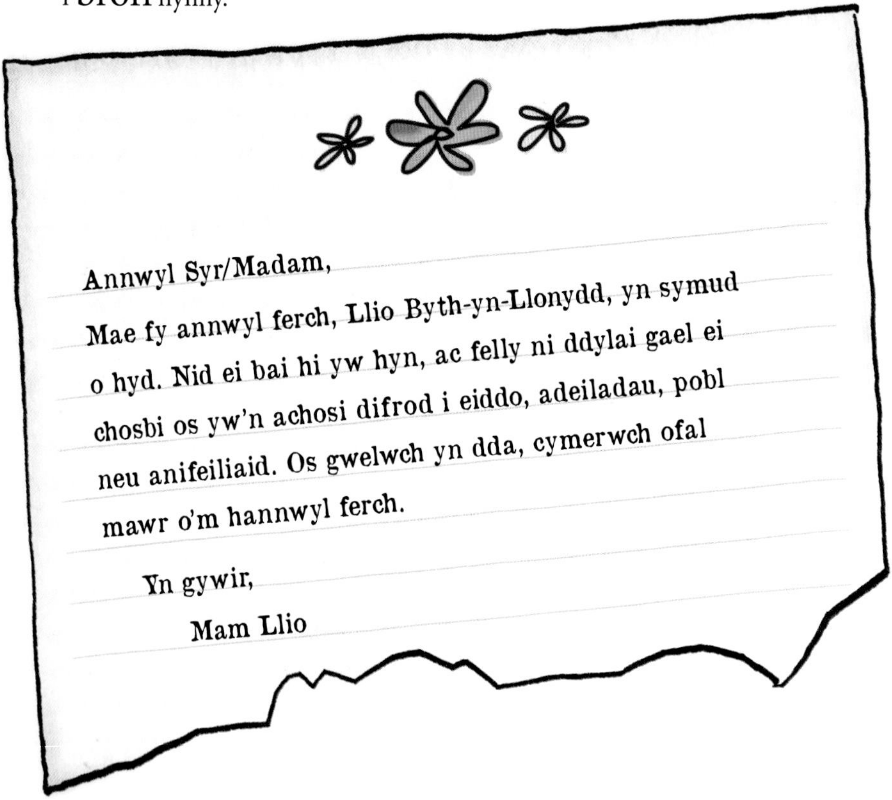

Annwyl Syr/Madam,

Mae fy annwyl ferch, Llio Byth-yn-Llonydd, yn symud
o hyd. Nid ei bai hi yw hyn, ac felly ni ddylai gael ei
chosbi os yw'n achosi difrod i eiddo, adeiladau, pobl
neu anifeiliaid. Os gwelwch yn dda, cymerwch ofal
mawr o'm hannwyl ferch.

Yn gywir,
Mam Llio

Curodd Llio ar ddrws ei phrifathrawes yn betrus.

CNOC CNOC CNOC!

'I mewn!' meddai'r brifathrawes yn llym.

CNOC CNOC CNOC CNOC CNOC!

Roedd llaw Llio'n parhau i guro.

'**I MEWN ddywedais i!**' meddai llais blin.

Ond roedd Llio'n methu rhoi'r gorau i guro'r drws.

CNOC CNOC CNOC CNOC CNOC CNOC CNOC CNOC!

'Er mwyn dyn!' rhuodd y brifathrawes.

Agorodd Miss Prig y drws, a
CNOC- CNOC- CNOCIODD
Llio drwyn y brifathrawes.

BOINC!

'Aw!'

'Mae'n ddrwg gen i, Miss Prig,' meddai'r ferch gan drio cuddio gwên fach.
Edrychai Miss Prig yn ddigri pan oedd hi'n flin.

'TYRD I MEWN I FY SWYDDFA I AR DY UNION!' gorchmynnodd y brifathrawes.

Rholiodd Llio i mewn i'r swyddfa, oedd wastad fel pìn mewn papur. Yn wir, roedd un o'r glanhawyr yno nawr, yn rhoi sglein ar hen gwpanau chwareuon.

'TI – ALLAN!' bloeddiodd y brifathrawes. Roedd hi'n ddigywilydd iawn gyda staff yr ysgol.

Cododd y glanhawr ei gadachau, a symud at y drws.

'Brysia!' gwaeddodd Miss Prig, a chyflymodd y glanhawr druan cyn diflannu drwy'r drws.

'Cymer sedd, Miss Llio Byth-yn-Llonydd,'

meddai'r brifathrawes.

A dyna'n union a wnaeth Llio. Cymerodd sedd, ei chodi a mynd â hi am DDAWNS o amgylch y swyddfa.

'Eistedda i lawr, ro'n i'n feddwl!' meddai Miss Prig.

Chwyrlïodd y ferch y gadair yn ei breichiau cyn ei gosod ar lawr, ac yna eisteddodd ynddi.

Cyn gynted i'w phen-ôl gyffwrdd y gadair,

cafodd Llio ysfa i fownsio i fyny ac i lawr ynddi,

ac felly dyna'n union y gwnaeth hi.

'Bydda'n llonydd!' gorchmynnodd

Miss Prig. Ond parhau i fownsio wnaeth Llio,

i fyny ac i lawr, y gadair yn gwichian â

PHOB NAID.

BOING
GWICH!

BOING
GWICH!

BOING
GWICH!

'Wrth gwrs, does dim rhaid i mi dy

atgoffa 'mod i'n disgwyl i ti ymddwyn yn

gall ar y trip ysgol.'

'Wrth gwrs, Miss Prig. Rydw i'n ymddwyn

yn gall bob amser.'

BOING
GWICH!
BOING
GWICH!
BOING
GWICH!

Roedd y brifathrawes yn amheus. Cododd ei sbectol hanner-lleuad at ei llygaid, a syllu ar y ferch.

'Y gwir yw, rwyt ti wedi creu **LLANAST** a **DINISTR** ym mhob twll a chornel o ⟨ **Blas Propor** ⟩, yr ysgol fonedd orau yn y wlad. Does dim rhaid i mi d'atgoffa di o'r hyn ddigwyddodd yn y ffreutur ddoe. Jyglo bowlenni o dreiffl ... wel, doedd hi ddim yn hir nes oedd y pwdinau yn SAETHU tuag at fwrdd yr athrawon.'

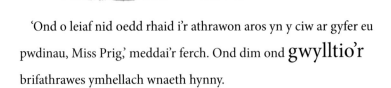

'Ond o leiaf nid oedd rhaid i'r athrawon aros yn y ciw ar gyfer eu pwdinau, Miss Prig,' meddai'r ferch. Ond dim ond gwylltio'r brifathrawes ymhellach wnaeth hynny.

'ROEDDWN I'N DREIFFL O 'MHEN I FY SODLAU!'

bloeddiodd Miss Prig, ei hwyneb yn gwrido'n flin, ei dannedd yn

crensian. 'Fe ddois i o hyd i ddarn o *jeli* yn fy nghlust bore 'ma!'

'Wnaethoch chi ei fwyta fo, Miss?' holodd Llio.

'Naddo wir! Wnes i DDIM ei fwtya fo!'

BOING BOING BOING
GWICH! GWICH! GWICH! GWICH!

Roedd y sŵn yn mynd ar nerfau'r brifathrawes erbyn hyn,

ond ceisiodd ei anwybyddu. 'Ac wedyn roedd y digwyddiad yna yn

y dosbarth celf. Roeddet ti fel cnonyn, yn symud o hyd,

a chyn i ni gael cyfle i dy stopio di roedd 'na baent dros y wal,

dros y nenfwd, dros y ffenestri ...

'Ond roedd Miss Sploetsh, yr

athrawes gelf, yn meddwl ei fod

o'n eithaf trawiadol.'

Dewisodd y brifathrawes

anwybyddu'r *sylw powld*

yma.

'A'r adeg y gwnest ti ollwng POB UN bêl o'r cwpwrdd yn y gampfa. Cafodd Miss Swmp, yr athrawes ymarfer corff, ei chario i ganol y cae chwarae ar fôr o beli!'

'Dwi'n gobeithio y daw rhywun o hyd iddi cyn bo hir,' meddai Llio.

'A FINNAU!' bloeddiodd y brifathrawes.

BOING   **BOING**   **BOING**

GWICH!   GWICH!   GWICH!

O'r diwedd, collodd Miss Prig ei thymer.

'WNEI DI FOD YN LLONYDD?!' gwaeddodd.

'Sorri, Miss,' atebodd y ferch. Roedd Llio'n llonydd am eiliad. Ond doedd hi ddim yn eiliad hir iawn.

Crynodd,

ac yna ysgydwodd,

ac yna fflapiodd.

Plymiodd y ferch a rholiodd ar y carped, ac yna sefyll ar ei dwylo.

'Nawr, Miss Byth-yn-Llonydd,' meddai Miss Prig ychydig yn filain. 'Rydw i angen i'r ymweliad â'r amgueddfa fod yn berffaith, neu bydd ⟩ **Plas Propor** ⟨, ysgol a sefydlwyd mil o flynyddoedd yn ôl gan leian barchus, yn destun sbort.'

'Wrth gwrs, Miss,' atebodd y ferch BEN I WAERED oedd bellach yn cerdded ar ei dwylo o gwmpas swyddfa'r brifathrawes fel pŵdl mewn sioe gŵn.

'Ac felly, rydw i wedi gofyn i'r athrawes wyddoniaeth ⟩ **Plas Propor** ⟨, Proffesor Chwinc, greu dyfais fydd yn dy rwystro di rhag dinistrio'r porslen gwerthfawr.'

Doedd Miss Llio Byth-yn-Llonydd ddim yn meddwl bod hynny'n swnio fel llawer o hwyl. 'Bydda i'n iawn heb y ddyfais, diolch, Miss,' meddai. Roedd ei choesau bellach yn symud fel sisyrnau drwy'r awyr.

Wrth iddi siarad, trawodd un o'i choesau bentwr o adroddiadau

ysgol oddi ar ddesg y brifathrawes.

Edrychai'r papurau fel gwylanod yn hedfan.

'Na fyddi, wir!' meddai'r brifathrawes.

'Beth ydi'r ddyfais yma, Miss?'

'O, fe gei di weld!' atebodd y brifathrawes yn llawn dirgelwch,

yn ceisio dal y papurau oedd yn dal i hedfan

o gwmpas y swyddfa.

'NAWR, I FFWRDD Â THI!'

Gyda hynny, troellodd Llio allan o'r swyddfa, gan roi cic ddamweiniol i'r cwpanau glân.

CRASH! BANG! BŴM!

* * *

Cyrhaeddodd diwrnod y trip ysgol, a llusgodd Proffesor Chwinc ei **dyfais newydd** o'r labordy gwyddoniaeth i ganol y buarth.

'Dyma ni, Brifathrawes!' meddai'n falch,

yn ei chôt wen a'i sbectol ddiogelwch.

'Fy nyfais ddiweddaraf.'

'Gwych, Proffesor!' atebodd Miss Prig.

Edrychai'r ddyfais fel **tegan** i fochdew enfawr.

Roedd yr athrawes wyddoniaeth wedi creu pêl fawr dryloyw, oedd yn ddigon mawr i rywun sefyll y tu mewn iddi. Ac wrth gwrs, y rhywun yna oedd Miss Llio Byth-yn-Llonydd.

'O'r diwedd, rwy'n cael datgelu fy nyfais arbennig,' meddai'r athrawes.

'Fy Mhêl FOWNSIO Bŵm-Bŵm.

Ei phwrpas yw rhwystro plant **aflonydd** rhag dinistrio popeth o'u cwmpas.'

'DYDYN NI DDIM EISIAU ARAITH HIRFAITH!' gwaeddodd y brifathrawes, oedd yn hoffi sŵn ei llais ei hun ond nid lleisiau pobl eraill.

'Wrth gwrs, brifathrawes,' meddai Proffesor Chwinc yn frysiog. 'Mae'n syml iawn. Mae'r plentyn aflonydd yn cael ei roi yn y bêl.'

Dangosodd ddrws bach yn y ddyfais. 'Yna, pan mae'r plentyn yn symud, mae'r Bêl FOWNSIO Bŵm-Bŵm yn bownsio oddi ar unrhyw wrthrychau cyfagos, heb eu torri.'

Wel, dyna oedd y syniad.

'Gwych!' meddai'r brifathrawes.

'Bant â ni, ferched!'

Roedd y daith bws i'r amgueddfa **BORSLEN** yn un hir. Er nad oedd y gyrrwr yn hapus, roedd y brifathrawes wedi mynnu bod Llio'n teithio yng nghist y bws, lle na allai greu trafferth.

Cyn gynted ag iddyn nhw gyrraedd, stwffiodd y brifathrawes Miss Llio Byth-yn-Llonydd i mewn i'r **Bêl FOWNSIO Bŵm-Bŵm**. Yna, arweiniodd Miss Prig y criw o ferched i mewn i'r amgueddfa, a Llio'n bownsio gyda'r lleill. Er nad oedd hi wedi bod yn hoff iawn o'r syniad o fod yn sownd mewn pêl fawr, dechreuodd fwynhau'r profiad. Roedd gwên lydan ar ei hwyneb.

Roedd yr amgueddfa yn drysorfa o

BORSLEN.

Cŵn porslen,

cathod porslen,   *platiau* porslen,

ffiolau porslen,   *tebotau* porslen,

canwyllbrennau porslen,

porslen porslen.

Roedd pob un darn yn werthfawr iawn, iawn.

'Does dim rhaid i mi ddweud, dwi'n siŵr, nad ydych chi i gyffwrdd ag unrhyw beth yma,' meddai'r brifathrawes wrth y merched. 'Rydw i'n gwybod bod y rhan fwyaf o'ch rhieni yn gyfoethog iawn; mae'n rhaid eu bod nhw er mwyn gallu talu am eich llefydd ym Mhlas Propor, ysgol ddrytaf y wlad! Fodd bynnag, os ydych chi'n torri unrhyw beth, unrhyw beth o gwbl, bydd rhaid i chi dalu amdano eich hun, gwerth pob un ddimai goch ohono. Ydych chi'n deall eich annwyl brifathrawes?'

Daeth murmur o'r grŵp.

'YDYCH CHI'N DEALL EICH ANNWYL BRIFATHRAWES?'

'Ydyn, Miss,' atebodd y merched.

'Iawn! Dewch i weld hwn.'

Closiodd y merched o amgylch bwrdd bychan. Roedd bowlen fawr arno, gyda channoedd o flodau bach lliwgar wedi'u paentio drosti. Bownsiodd Llio yn ei phêl er mwyn ei gweld yn well. Cododd Miss Prig ei sbectol hanner-lleuad at ei llygaid.

'Cafodd y fowlen yma ei chreu ym Mharis. Roedd yn eiddo i frenhines olaf Ffrainc, Marie Antoinette, yn y ddeunawfed ganrif.'

Roedd Llio mor awyddus i weld yn well, bownsiodd mor galed yn ei **Phêl FOWNSIO Bŵm-Bŵm** nes iddi daro'r nenfwd.

O'r nenfwd, bownsiodd i lawr eto'n gyflym iawn.

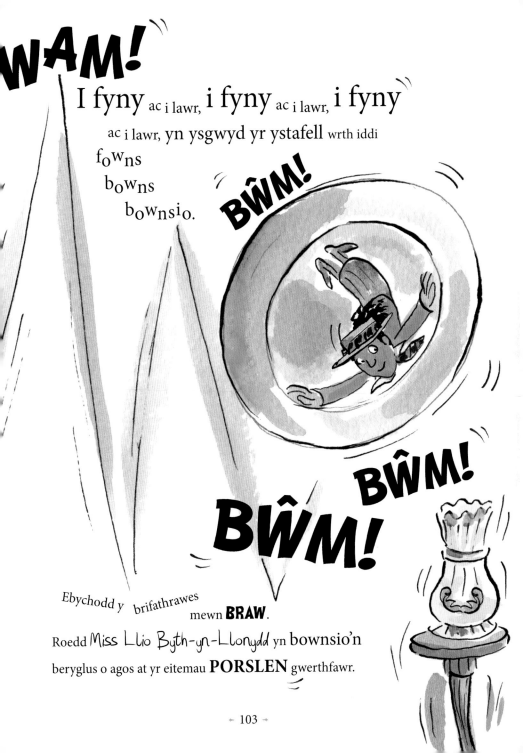

WAM!

I fyny ac i lawr, i fyny ac i lawr, i fyny
ac i lawr, yn ysgwyd yr ystafell wrth iddi
f_o^wns
b_o^wns
b_ownsi_o.

BŴM!

BŴM!

BŴM!

Ebychodd y brifathrawes mewn **BRAW**.

Roedd Miss Llio Byth-yn-Llonydd yn bownsio'n
beryglus o agos at yr eitemau **PORSLEN** gwerthfawr.

- 103 -

Wrth i'r **Bêl FOWNSIO Bŵm-Bŵm** ddod yn nes ac yn nes, ymestynnodd Miss Prig i'w **gwthio**. Canlyniad hyn oedd fod y bêl yn bownsio o un wal i'r llall. Gwyliodd gweddill y merched yn gegagored wrth i'r bêl **daro'r PORSLEN** gwerthfawr, heb ei ddifrodi o gwbl, ac yna **bownsio'n ôl** at y brifathrawes –

CRASH!

Cwympodd Miss Prig a tharo

pengwin **PORSLEN**

oedd y tu ôl iddi.

'NAAAA!'

sgrechiodd.

Hedfanodd y pengwin drwy'r awyr.

Roedd hon yn olygfa **anarferol**, wrth gwrs, gan nad yw pengwiniaid yn gallu hedfan. Ond ni pharhaodd y syndod o weld pengwin yn hedfan, achos **trawodd** yr aderyn **PORSLEN** yn erbyn y wal ...

... a chwalu'n **deilchion**.

Syllodd y merched mewn **syndod llawen**.

'Bydd rhaid i ti dalu am hwnna, Miss Llio Byth-yn-Llonydd!' gwaeddodd y brifathrawes.

'Ond wnes i ddim **cyffwrdd** â'r pengwin **PORSLEN**, Miss Prig! **Chi wnaeth!**'

Wrth gwrs, gwylltiodd y brifathrawes wrth glywed hyn. Rhedodd ar ôl Miss Llio Byth-yn-Llonydd wrth i'r ferch fowns-bowns-bownsio dros yr ystafell.

Rhuthrodd Miss Prig ar ôl y Bêl FOWNSIO Bŵm-Bŵm, ei breichiau a'i choesau yn barod i'w dal.

Ond wedi iddi fownsio yn erbyn y wal, bownsiodd yn erbyn y brifathrawes, a chwympodd yn ôl unwaith eto.

THWWWWWW-AC!

Y peth cyntaf i Miss Prig ei daro oedd *alarch* PORSLEN.

Yr ail beth i Miss Prig ei daro oedd *balerina* BORSLEN fawr.

CRASH!
BANG!

Y trydydd peth iddi ei daro oedd *clown* PORSLEN du a gwyn.

WAC!

Nid un o'r clowniau **hapus** yna oedd o. Roedd o'n un o'r rhai trist.

Yn anffodus, doedd dim llawer o amser i feddwl am dristwch y clown druan, na'r pethau eraill oedd yn gwibio drwy'r awyr, achos trodd y cyfan yn gawod finiog o ddarnau mân ar y llawr, yn ...

DEILCHION!

Ar yr union eiliad yma, o glywed yr holl dwrw, daeth rheolwr oedrannus yr amgueddfa allan o'i swyddfa er mwyn gweld beth oedd yn digwydd, a'i ffon gerdded yn ei law. Roedd pob un o ddarnau mwyaf **gwerthfawr** yr amgueddfa mewn **darnau** mân ar y llawr.

'Beth yn y byd ydi hyn?!'

bloeddiodd, gan chwifio'i ffon gerdded yn flin.

Cododd y brifathrawes ar ei thraed yn simsan, gan sefyll ar ddafnau mân o **BORSLEN** wrth wneud.

CRENSH. CRENSH. CRENSH.

'Mi fedra i esbonio!' meddai'r ddynes.

'Pwy wnaeth gyffwrdd â'r **PORSLEN** gwerthfawr, drudfawr, prydferth?' gofynnodd y rheolwr.

'Wel ...'

Edrychodd y brifathrawes draw at Miss Llio Byth-yn-Llonydd, oedd bellach, er mawr syndod i bawb, bron iawn yn llonydd yn ei phêl.

'Wel, yn dechnegol, fi wnaeth, ond ...'

'Ond dim byd!' bloeddiodd rheolwr yr amgueddfa.

'Chi fydd yn talu am bob un wan jac o'r darnau prin a ddifrodwyd!'

'NAAAAAAAAAAAAAAAAAAAAAAAAAAA!!!'

sgrechiodd y brifathrawes.

Gwenodd y ferch oedd byth yn llonydd.

* * *

Roedd y bil gan yr amgueddfa yn **filiynau** o bunnoedd. Ar gyflog prifathrawes, hyd yn oed cyflog prifathrawes yr ysgol ddrytaf yn y wlad, byddai wedi cymryd **miloedd** o flynyddoedd i dalu'r ddyled. Felly roedd rhaid i Miss Prig wneud mwy nag un swydd ym **Mhlas Propor**.

Er ei bod hi'n ddynes grand iawn, roedd yn rhaid iddi godi gyda'r wawr i **lanhau** coridorau'r ysgol gyda mop a bwced.

Byddai'n rhoi'r cawl mewn bowlenni i'r disgyblion yn y ffreutur amser cinio.

Ar ôl ysgol, byddai Miss Prig ar y to, yn clirio dail gwlyb a cholomennod marw o'r gwter.

Ac roedd un person yn siŵr o

GICIO *bwced*

y brifathrawes,

a tharo'r *cawl*

DROS EI PHEN,

a baglu dros

yr *ysgol*.

Miss Llio Byth-yn-Llonydd

wrth gwrs!

* * *

Flynyddoedd yn ddiweddarach, daeth diwrnod olaf Llio yn ysgol Plas Propor. Roedd hi'n ddeunaw oed bellach, ac yn barod i lamu tin-dros-ben i'r byd go iawn.

Roedd y brifathrawes wedi bod ar ei thraed yn gynnar, yn glanhau'r tai bach ac yn clirio yn y llyfrgell ar ôl i'r llyfrgellydd, oedd wedi cael gwenwyn bwyd, chwydu dros y lle.

Wrth i Miss Prig orffen â'i mop, gwelodd ei gelyn, Llio, yn eistedd yng nghornel y llyfrgell yn darllen.

Roedd rhywbeth mawr yn wahanol amdani heddiw. Roedd Llio'n gwbl, gwbl lonydd.

Cuddiodd Miss Prig y tu ôl i'r silffoedd llyfrau, yn gwylio'r ferch roedd hi'n ei chasáu'n fwy na neb. Heblaw am droi tudalen bob hyn a hyn, doedd Llio ddim yn symud o gwbl.

Ar ôl awr o wylio, llamodd Miss Prig o'i lle y tu ôl i'r silffoedd.

'AHA!' bloeddiodd. 'DWI WEDI DY DDAL DI!'

'Shhh!' meddai Llio, gan bwyntio at arwydd ar wal y llyfrgell oedd yn

dweud   **DISTAWRWYDD!**

'Ond, ond, ond ..!' Roedd y brifathrawes yn methu'n lân â chadw'n

dawel. 'Rwyt ti'n gallu eistedd yn llonydd!'

'Ydw!' atebodd y ferch. 'Rydw i wedi gallu gwneud erioed.'

'Ond beth am y **llythyr** yna gan dy fam?'

'O, yr hen beth gwirion 'na? Fi sgwennodd hwnna!'

'DIM AMSER CHWARAE

I TI AM

GAN

MLYNEDD!'

bloeddiodd Miss Prig.

'O, mi fyddwn i wrth fy modd, Miss Prig, ond dyma fy niwrnod olaf

ym **Mhlas Propor**. A dwi am adael yn union fel y gwnes i gyrraedd ...'

Gyda hynny, **troellodd** Miss Llio Byth-yn-Llonydd **din-dros-ben** o'r llyfrgell, gan daro pob un llyfr oddi ar y silffoedd.

Bu'r brifathrawes yn y llyfrgell tan hanner nos, yn codi'r llyfrau a'u rhoi yn ôl ar y silffoedd. Yna, bu'n rhaid iddi glirio'r llanast ar ôl i'r llyfrgellydd fod yn sâl y bore hwnnw.

Felly, fel y gwelwch chi, roedd Miss Llio Byth-yn-Llonydd wir yn un o blant gwaetha'r byd.

Roedd hi'n FENDIGEDIG.

MAE'R PLANT YMA'N MYND YN WAETH AC YN WAETH!

PEDR
Pigo Trwyn

MAE RHAI PLANT yn hoffi chwythu eu trwynau, a rhai eraill yn hoffi eu pigo. **Pigwr** oedd Pedr. Byddai ei fys wastad i fyny ei drwyn. Dau fys, weithiau – un ym mhob ffroen.

Byddai'n chwilio am drysor gwerthfawr, yn **wyrdd** fel emrallt: **SNOT.**

Er ei fod yn fyr am ei oedran, roedd gan **Pedr** lif ddiddiwedd o'r stwff.

Snot dyfriog. Snot gludiog.

Snot caled. Peli snot. Pibonwy snot.

Stalagmidau snot. Stalactidau snot.

Fo oedd **brenin** y llysnafedd gwyrdd.

Ar ôl pigo, byddai'r bachgen yn syllu ar ei snot ddiweddaraf, cyn ei ychwanegu i'w

BÊL o SNOT.

Roedd o wedi darllen un tro mai merch o'r Almaen o'r enw *Fräulein Schleim* oedd yn dal record y byd am y snotyn mwyaf erioed. Roedd o'r un maint â **phêl fagnel**, ac yn pwyso gymaint â

mochyn.*

*Er mai dim ond deuddeg oed oedd Fräulein Schleim, roedd hi'n bendant yn un o blant gwaetha'r byd. Hi oedd yn berchen ar y belen fwyaf o gŵyr clust welwyd erioed, oedd yr un maint â thwb mawr o hufen iâ. Hi hefyd oedd yn gyfrifol am y lluwch dandryff uchaf a welwyd erioed; creodd fynydd o'r stwff wrth ddatod ei phlethi. Ond yr hyn yr oedd Fräulein Schleim yn fwyaf balch ohono, fodd bynnag, oedd yr un am y CAWS TRAED mwyaf drewllyd. Pan dynnodd ei sgidiau cerdded trwm, bu i bob coeden o fewn deng milltir iddi syrthio'n farw yn y fan a'r lle.

Wedi'i swyno gan enwogrwydd *Fräulein Schleim*, aeth **Pedr Pigo Trwyn** ati i drio trechu campau'r Almaenes. Roedd o'n benderfynol o greu **SNOT** mwyaf **SNOTIOG** y byd! Felly, wrth i'n stori ni ddechrau, y cyfan oedd ar feddwl Pedr oedd creu pelen **ENFAWR** o snot.

Dechreuodd gydag un snotyn maint arferol. Ond unwaith iddo roi sawl blob o snot at ei gilydd, dechreuodd edrych fel coblyn o snotyn. Yna trodd yn gawr o snot, cyn troi, o'r diwedd, yn **GAMPWAITH SNOTIOG.**

Bob tro fyddai'r bachgen yn pigo ei drwyn (ac roedd hynny bob eiliad neu ddwy), byddai'n ychwanegu at y bêl o snot. Pan ddechreuodd Pedr arni, dim ond maint pysen oedd y bêl. Ond gyda phob ychwanegiad, byddai'n tyfu'n fwy. Yr un maint â choncyr, yna melon, yna pêl-droed, yna dyn eira.

Weithiau, byddai Pedr yn aros adref o'r ysgol er mwyn pigo ei drwyn drwy'r dydd – roedd o'n benderfynol o ddod yn enwog.

Ar y dechrau, byddai Pedr yn gallu cario'r belen o snot gydag o i bob man. Pan aeth y belen yn rhy fawr a thrwm i'w chario, rholiodd y bachgen hi ar hyd y stryd.

Ond un bore, ar ei ffordd i'r ysgol, aeth pelen Pedr yn ddamweiniol dros ben Sinsir, y gath drws nesaf, ac aeth y creadur bach yn sownd yn y llysnafedd.

'MIAW!!!'

Roedd y snot mor ludiog, bu'n rhaid i Pedr eillio blew'r gath er mwyn ei chael yn rhydd.

'mmmmmmmmmMIAAAAAAAAW!!!'

Byddai Pedr yn cadw ei sffêr o snot yn ofalus yn ei lofft. Erbyn hyn, roedd y sffêr o snot (neu'r Snotsffer) yr un maint ag asteroid. Edrychai fel rhywbeth o'r gofod, hefyd.

Enfys o liwiau gwyrdd.
Gwyrdd golau.
Gwyrdd tywyll.
Gwyrdd gwyrdd.
Gwyrdd oedd ddim mor wyrdd.

Gyda phob snotyn bach oedd yn cael ei ychwanegu at y belen, roedd **SNOTSFFER** Pedr yn tyfu'n rhy fawr i'w lofft. Doedd dim lle i'w wely na'i gwpwrdd dillad, ac roedd y llawr yn gwegian dan bwysau'r LLYSNAFEDD LLOERIG.

Un bore, wrth archwilio ei ffroenau, daeth Pedr o hyd i **snotyn mawr iawn**. Heb feddwl ddwywaith, ychwanegodd ei drysor trwynol at y bêl, ond roedd hwn un cam yn ormod, a chlywodd Pedr sŵn gwichian.

TWANG!

Roedd y llawr yn dechrau gwegian dan bwysau'r **snotyn anhygoel**.

Rhedodd Pedr i lawr y grisiau i'r gegin. Edrychodd ar y nenfwd, a gweld craciau bychain yn ymddangos ar ei hyd.

CRAC!

Yna, cyn i Pedr gael cyfle i bigo ei drwyn, chwalodd y **SNOTSFFER** drwy'r nenfwd a glanio ar y llawr yn ei ymyl.

BŴM!

'Aaaaaa!' sgrechiodd y bachgen wrth i lwch a phren ei daro. Bu bron i Pedr gael ei ladd gan ei snot ei hun.

Dechreuodd y belen werdd rolio yn syth i gyfeiriad Pedr. Brysiodd y bachgen allan o'r tŷ, ond ...

chwalodd SNOTSFFÊR drwy wal y tŷ... CRASH!

... a tharanu i lawr y stryd ar ôl yr un oedd wedi'i greu.

Syllodd rhieni Pedr drwy ffenest eu llofft, yn gwbl gegagored, ond roedd y ddau'n fud oherwydd y sioc.

Wrth gwrs, roedd y **SNOTSFFER** yn ludiog iawn. Ac felly, roedd o'n codi popeth oedd yn dod ar ei draws.

Ci bach,

hen wraig oedd yn mynd â'r ci bach hwnnw am dro,

beic,

y **bachgen** oedd yn reidio'r beic,

peiriant torri gwair,

garddwr oedd yn defnyddio'r peiriant torri gwair hwnnw.

Cyn bo hir, roedd y pethau yma – a mwy – yn chwyrlïo i lawr y lôn, yn sownd i'r **SNOTSFFER**.

Roedd snotyn Pedr yn tyfu a thyfu. Ac wrth iddo dyfu, fe âi yn GYNT ac yn GYNT.

Wrth i Pedr redeg nerth ei draed oddi wrtho, cododd y
SNOTSFFER flwch postio a rhwygo coeden o'i
wreiddiau. Roedd 'na gar bach hefyd bellach yn rhan o'r
SNOTSFFER.

Pan gododd y **SNOTSFFER** fws yn llawn pobl,
dechreuodd Pedr boeni go iawn.

Wrth i'r teithwyr yn y bws droelli a throelli, fel petaen nhw ar
DDWMBWR-DAMBAR gwyrdd enfawr,
sylweddolodd y bachgen fod ei fywyd mewn

perygl go iawn.

Bellach roedd y **SNOTSFFER** yn ddigon mawr i godi **tai** cyfan ar ei daith – **byngalo** i ddechrau, ac yna plasty mawr crand.

Gyda'r **tŷ**,

y **byngalo**, y **bws**, y **car**, y **goeden**, y **blwch postio**,

y **peiriant torri gwair**, y **garddwr** yn defnyddio'r peiriant torri gwair,

y **beic**, y **bachgen** oedd yn reidio'r beic,

y **ci bach**, ac, wrth gwrs,

yr **hen wraig** oedd yn mynd â'r ci bach am dro,

roedd y **SNOTSFFER** yn tyfu'n

ofnadwy o gyflym.

Roedd gan Pedr gynllun. Yr unig ffordd i oroesi oedd cuddio dan ddaear. Fyddai'r SNOTSFFER ddim yn dod o hyd iddo yn fan'no. Rhedodd y bachgen at ddraen yn y stryd, a thynnodd ar y caead trwm.

'Plis, plis, PLIS!' gweddïodd yn dawel.

Llithrai ei fysedd ar y metal. Roedden nhw'n wlyb ar ôl treulio gymaint o amser i fyny ei drwyn.

Ag eiliad i'w sbario, ac wrth i'r Snotsffer agosáu, tynnodd Pedr y caead o'r draen a llamodd i lawr y twll.

SPLASH!

Taranodd y SNOTSFFER uwch ei ben.

RRRRRRRRR!

Ochneidiodd Pedr mewn rhyddhad, ac atseiniodd yr eco o gwmpas y draen.

'A!'

Pan oedd Pedr yn teimlo ei fod yn saff iddo fentro allan, dringodd

yn ôl i'r stryd, yn ddrewllyd ac yn frown ar ôl bod yn y draen.

Gwyliodd y **SNOTSFFER** yn gwibio ymaith,

gan godi popeth yn ei sgil.

Injan dân,

rhes o siopau,

a **buches o wartheg**

oedd wedi bod

yn cael

prynhawn heddychlon,

braf o bori.

'MWWW!'

'MWWW!'

'MWWW!'

Wrth weld yr holl lanast, penderfynodd Pedr ei fod yn well iddo

beidio â chyfaddef i unrhyw un mai ef oedd wedi creu'r belen snot

DDINISTRIOL. Na, gwell oedd cadw'n dawel a gadael i *Fräulein*

Schleim gadw'i henw da.

Felly brysiodd Pedr i lawr y stryd tuag at ei ysgol. Dyma'r tro cyntaf iddo fod i'r ysgol ers wythnosau. Fodd bynnag, pan gyrhaeddodd, sylweddolodd Pedr fod yr adeilad **wedi diflannu.**

Dim ond **siapiau tywyll** ar y buarth lle'r arferai'r ysgol fod oedd yno.

Mae'n rhaid bod y **BELEN DDINISTRIOL** wedi rholio'r ffordd yma ac wedi cipio'r **ysgol** ar ei thaith.

Safai pâr o welis lle'r arferai'r ffreutur fod. Mrs Milain, y gogyddes, oedd piau'r welis. Mae'n rhaid ei bod hi a'r holl athrawon bellach yn sownd yn y

SNOTYN ENFAWR.

Gwenodd Pedr.

'Ha ha!

Fydd dim rhaid i mi fynd i'r ysgol **byth eto!**'

meddai wrth sefyll ar ei ben ei hun ar y buarth, yn teimlo'n **fodlon,** braf.

Yna, fel roedd Pedr ar fin troi am adref (neu beth bynnag oedd ar ôl o'i gartref), clywodd **sŵn** y tu ôl iddo ...

Aeth y sŵn
yn **uwch**
ac yn **uwch.**
Sŵn **RHUO**,
sŵn taranu,
sŵn byddarol.
Crynai'r ddaear
dan draed
y bachgen.

Llyncodd Pedr
ei boer mewn braw.

O MAM BACH!

Gwyddai'n iawn beth oedd y sŵn.

Roedd yn rhy ofnus i droi a wynebu'r peth.

Ond roedd rhaid iddo. Yn araf, trodd a gweld bod y

SNOTSFFER wedi rholio'r holl ffordd o amgylch

y Ddaear ac **yn ôl** ato ef!

Bellach, roedd o'r un maint â lleuad ar ôl codi llawer o dir ar ei deithiau.

Twr Eiffel, y Colosseum yn Rhufain, Tŷ Opera Sydney, y Taj Mahal, Cadeirlan Sant Basil, pyramid o'r Aifft, y Llyfrgell Genedlaethol a'r Senedd yng Nghaerdydd – roedd pob un yn sticio o'r bêl fel pigau ar ddraenog pigog iawn.

Roedd **pafiliwn yr Eisteddfod** wedi cael ei godi hefyd, gan gynnwys yr Archdderwydd yn ei goban gwyn.

'AAAAAAAAAAAAA!!!'

sgrechiodd Pedr wrth i'r peth agosáu.

Roedd y **SNOTYN ENFAWR** bellach mor

ANFERTHOL, fe guddiai olau'r haul. Teimlai'r bachgen

yn oer, oer yng nghysgod bygythiol y **snot**.

Caeodd ei lygaid mewn ofn wrth i'r **SNOTSFFER** rolio

drosto a'i dynnu oddi ar ei draed.

'NAAAAAA!!!'

O'r diwedd, roedd y bêl o **snot** wedi dal Pedr,

a doedd dim y gallai'r bachgen ei wneud

wrth i'r **SNOTSFFER** daranu

o amgylch y Ddaear.

Ond roedd y Frenhines yn ei

phalas mor flin â'r ffordd roedd

y belen haerllug yn bihafio,

gorchmynnodd i'w milwyr saethu

pelenni canon at y **SNOTSFFER**.

'Saethwch **ar unwaith!**'

Gwibiodd y **belen danllyd** tuag at y snotyn mawr.

BŴM!

Ffrwydrodd y SNOTSFFER

a saethodd y darnau bychain yn ôl at y Ddaear,

gan fynd â phawb a phopeth yn ôl i'w priod lefydd dros y byd.

Heblaw am **un bachgen.**

Roedd Pedr yn dal yn sownd mewn **darn enfawr** o **snot**. Gwibiodd y darn drwy'r awyr, a glanio ar ben to yr **Amgueddfa Genedlaethol** yng Nghaerdydd.

Byddai rhieni Pedr yn ymweld â'u mab **bob** dydd Sul, ac yn taflu briwsion i fyny ato. Roedd **Pedr Pigo Trwyn** yn sownd ar ben yr amgueddfa am weddill ei fywyd, ben i waered, ar belen o'i **snot** ei hun.

Dyma'r math o beth all ddigwydd pan fyddwch yn **pigo'ch** trwyn.

Cofiwch **chwythu'ch** trwyn y tro nesaf.

STORI SNOTIOG A FFIAIDD!

FALMAI
Fudr

SANAU DREWLLYD

WYNEB LLAWEN

CWMWL O DDREWDOD

DILLAD FFIAIDD

FALMAI
Fudr

YDYCH CHI'N ADNABOD plentyn gwirioneddol **FUDR**?
Merch fwdlyd? Bachgen drewllyd? Waeth pa mor fudr a drewllyd
ydyn nhw, dydyn nhw'n ddim byd o'u cymharu â Falmai Fudr. Roedd
hi'n falch iawn o ddweud mai hi oedd y ferch futraf yn y byd!
Doedd hi ddim wedi defnyddio dŵr a sebon erioed. Bob man yr âi,
byddai cwmwl o faw a budreddi a drewdod yn ei dilyn.

Wrth gwrs, roedd **pob** dim roedd Falmai Fudr yn ei gyffwrdd yn troi'n **fudr** hefyd. Roedd staeniau **afiach,** di-ri dros ei llyfrau ysgol. Ac er bod ei mam yn gwneud ei gorau glas, gwrthodai Falmai wisgo dillad glân, felly roedd ei dillad yn afiach hefyd.

Ond y peth **mwyaf budr** ym mywyd Falmai oedd ei hystafell. Er bod ei mam wedi crefu arni i'w glanhau, doedd Falmai ddim wedi gwneud – erioed.

Gollyngai **bopeth** ar y llawr. Roedd hi'n trin ei hystafell fel **BiN SBWRiEL**.

Bellach, roedd y pentwr o **sgidiau rhedeg drewllyd**,

hancesi papur snotlyd, crystiau sych **hen frechdanau wy**,

 a **baw sych ei bochdew*** yn cyrraedd

pengliniau Falmai.

Yr unig ffordd y gallai Falmai gyrraedd ei gwely oedd trwy

gerdded drwy fôr o sbwriel. Roedd y carped yn hen atgof:

doedd neb wedi'i weld ers blynyddoedd. Roedd Falmai wrth ei

bodd yn byw mewn llanast; wedi'r cyfan, roedd hi'n un o blant

GWAETHA'R byd. Iddi hi, doedd dim yn hyfrytach na bod

yn afiach.

Gadewch i mi ddweud gair am **draed** Falmai.

Roedden nhw mor fudr, roedden nhw'n edrych

fel traed ellyll erchyll.

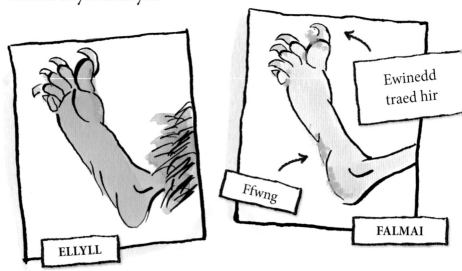

Ewinedd
traed hir

Ffwng

FALMAI

ELLYLL

* Roedd Bog y bochdew wedi hen ddiflannu.

Roedd **ffwng** gwyrdd yn gorchuddio ei thraed, ac roedd ganddi ewinedd hirion oedd yn cyrlio o gwmpas ei bodiau. Ac felly, arogleuai ei thraed fel **caws meddal** oedd wedi bod yng nghefn yr oergell ers **degawdau.** Pan fyddai Falmai yn plicio ei sanau oddi ar ei thraed ar ddiwedd pob dydd, byddai'n codi'r hosan at ei thrwyn ac yn cymryd anadl ddofn.

'Mmmmmmmmmmmmmmm!' byddai Falmai'n dweud yn **llawen.**

Byddech chi neu finnau wedi **sgrechian** o glywed ffasiwn arogl, neu wedi **chwydu rhaeadr bwerus** dros y lle. Ond nid Falmai. Roedd hi wedi gwirioni bod ganddi'r sanau mwyaf drewllyd yn y **byd.** Yna, fel popeth arall, byddai Falmai yn lluchio'r sanau ar y **mynydd** o *sbwriel* oedd ar lawr ei llofft.

'Falmai! Cliria dy stafell r$\hat{w}$an hyn!' gwaeddai ei mam. Roedd y ddynes druan bron â drysu.

Byddai'n cadw gweddill ei thŷ yn **gwbl lân.** Os oedd un briwsionyn yn syrthio ar y carped, byddai Mam yn nôl y peiriant codi llwch yn syth. Roedd **ffieidd-dra** ystafell Falmai yn torri ei chalon. Sut oedd hi, dynes oedd wastad yn cadw tusw o flodau ffres ar y bwrdd bwyd, wedi magu plentyn oedd yn dewis byw mewn ... twlc? A hwnnw'n dwlc oedd yn drewi fel ... **RHECH?**

'Ond dwi'n hoffi oglau rhech!'

meddai Falmai dan chwerthin.

Gwyddai fod ei mam (oedd yn gwisgo mwclis o berlau, ac yn cadw'i gwallt yn uchel ac yn berffaith) yn casáu ei chlywed yn dweud y gair "rhech". Felly roedd Falmai'n defnyddio'r gair BOB UN TRO y byddai'n siarad gyda'i mam.

'PAID â defnyddio'r gair afiach yna eto!' llefai Mam.

'Be? **RHECH?**' atebai Falmai'n slei.

'Ie! Mae'n air *ofnadwy* a does dim lle iddo yn fy nghartref hyfryd i. Nawr, Falmai, i ffwrdd â ti i **lanhau** dy ystafell AR UNWAITH!'

'RHECH!' gwaeddai Falmai wrth fynd.

Gan **nad** oedd Falmai'n fodlon glanhau ei hystafell, penderfynodd Mam y byddai *hi'n gwneud*. Pan adawodd Falmai i fynd i'r ysgol un bore, brysiodd Mam i fyny'r grisiau gyda menig rwber **trwchus** a rholyn o fagiau sbwriel pinc, persawrus.

'RAAAAAA!'

bloeddiodd, fel petai ar fin mynd i frwydr.

Gwthiodd yn erbyn drws llofft ei merch gyda'i holl nerth.

'HMFF!'

Ond dim ond cilagor a wnâi'r drws. Roedd yna fynydd o *sbwriel* y tu ôl iddo.

'**AAAAA!**' sgrechiodd Mam wrth iddi edrych drwy gil y drws ar y môr o **fudreddi.**

'**Yyyyy!**' bloeddiodd wrth i'r **drewdod** gyrraedd ei ffroenau.

Y broblem oedd, er mor galed y gwthiai, roedd mam Falmai yn ei chael hi'n **amhosib** mynd i mewn i ystafell ei merch. Gallai Falmai wasgu ei chorff bach drwy gil y drws a syrffio dros y sbwriel, ond doedd hynny **ddim yn bosib** i'w mam.

Roedd hi ar fin rhoi'r gorau iddi pan ...

PING!

Cafodd syniad.

Gan gadw **esgid** yn y drws i wneud yn siŵr nad oedd o'n cau, rhedodd Mam i lawr y grisiau i nôl y peiriant codi llwch. Gwthiodd beipen **hir** y peiriant drwy'r drws, a phwysodd y botwm.

HMMMMMM MMMMMM!

Roedd y ddynes wrth ei bodd pan ddechreuodd y peiriant sugno pob math o bethau o'r carped ...

Bocs cyfan o ysgytlaeth siocled oedd wedi suro.

Plastr oedd yn fudr ac yn felyn.

Talp o gaws wedi llwydo.

Gwenodd Mam yn hapus. Erbyn i Falmai ddychwelyd o'r ysgol, efallai y byddai wedi llwyddo i glirio'r rhan fwyaf o'r ffieidd-dra.

Dyna pryd wnaeth y peiriant codi llwch ryw hen sŵn od ...

YGYGYGYGYG!

Ac yna sŵn metel yn cael ei blygu. CRINC!

Crynodd y peiriant codi llwch, yna ysgydwodd,

ac yna ffrwydrodd.

BANG!

Cafodd Mam ei gorchuddio o'i chorun i'w sawdl

yn yr holl bethau afiach roedd y peiriant wedi'u sugno.

'Afiach! **AFIACH!**' bloeddiodd wrth edrych ar y **baw**, y **llwch**, a'r hen dalpiau o **ysgytlaeth siocled** sur ar ei dillad crand.

Edrychodd i lawr ar ei pheiriant codi llwch.

Roedd o wedi malu'n deilchion.

Mae'n rhaid
bod rhywbeth
MAWR a CHRYF
wedi'i dorri.

Oedd 'na *rywbeth* yn cuddio dan y sbwriel yn llofft ei merch?

'Helô-ô?' galwodd Mam.

Doedd **dim** ateb.

Ysgydwodd ei phen, a **dwrdiodd ei hun** am feddwl y ffasiwn

beth. Mae'n rhaid mai rhywbeth arall oedd wedi torri'r peiriant.

Brysiodd i'r ystafell ymolchi, yn **ysu** am gael gorwedd mewn dŵr

a swigod.

Pan gyrhaeddodd Falmai adref o'r ysgol, roedd ei mam yn dal yn y bath – roedd hi wedi cael 27 bath y diwrnod hwnnw'n barod. Cyn i'r ddynes fedru dweud dim, roedd y ferch wedi brysio i fyny'r grisiau ac i mewn i'w hystafell.

Gan sefyll ar hen hambwrdd plastig o fwyty byrgyrs, syrffiodd Falmai dros y sbwriel ac at ei gwely. Pliciodd ei sanau budron oddi ar ei thraed, sanau oedd wedi cael eu gwisgo cannoedd o weithiau heb gael eu golchi. Roedd Falmai wrth ei bodd o weld bod ffwng wedi dechrau tyfu arnynt.

Plymiodd y ferch ei llaw i ganol y sbwriel, a dod o hyd i hosan oedd wedi cael ei gollwng yno flynyddoedd ynghynt.

Roedd gan yr un yma sawl tyfiant od yn blaguro o'r cotwm, fel llysiau estron o ryw blaned bellennig. Sylweddolodd Falmai fod ei hystafell bellach mor llawn o sbwriel, doedd ganddi ddim syniad beth oedd yn byw a bod o dan y tomenni.

Ond doedd Falmai ddim yn barod am yr hyn oedd ar fin digwydd ...

Wrth orwedd yn ei gwely ffiaidd y noson honno, rhwng cynfasau oedd yn *llithrig* gan faw, sylwodd Falmai ar rywbeth yn SYMUD O GWMPAS yn y tywyllwch.

Mae'n rhaid mai dychmygu pethau oedd hi!

Oedd hi'n *breuddwydio?*

'DOS O 'MA!' galwodd, rhag ofn bod 'na *rywbeth* yn cuddio yn ei llofft.

Symudodd y sbwriel ryw fymryn wrth i rywbeth WIBIO oddi tano.

Nid breuddwyd oedd hyn. Nid hunllef, chwaith. Roedd o'n digwydd go iawn. Roedd rhywbeth yn byw dan y sbwriel yn ystafell Falmai Fudr.

Llygoden fawr, efallai?

Na. Roedd hwn yn fwy na hynny.

Chwilen anferth?

Na. Doedd o ddim yn YSGAFNDROED fel *chwilen*.

Dim... Dim *neidr wenwynig?*

Na, doedd hwn ddim yn hisian.

Chwyrnodd y peth.

'RRRRRRRRRRR!'

Dim ond **un** esboniad oedd ar ôl.

Roedd hwn yn **GREADUR** o fath gwahanol.

Creadur oedd wedi'i **greu** yng nghanol **ffieidd-dra** ystafell y ferch.

Creadur nad oedd neb wedi'i weld **erioed** o'r blaen yn hanes y Ddaear.

Mewn ymgais i drio cadw'r bwystfil draw, bownsiodd Falmai ar ei gwely tan iddi gyrraedd yn ddigon uchel i neidio ar ben y cwpwrdd dillad. Roedd hi wedi cadw ychydig o **sbwriel** yno ar gyfer argyfyngau o'r math hwn, ac roedd hwn yn **argyfwng.**

Gyda'r **holl nerth** oedd ganddi yn ei breichiau bach budr,

taflodd **botiau iogwrt** hanner llawn,

hen **grystiau pizza** pepperoni,

a bag o
faw eliffant
roedd hi wedi'i ddwyn
ar drip ysgol i'r sw.

Yna, neidiodd Falmai i lawr o'r cwpwrdd dillad ar y pentwr o lanast, gan drio gwasgu beth bynnag oedd yn llechu *dan y cyfan.*

Wyddai hi ddim mai bwydo'r creadur roedd hi'n ei wneud mewn gwirionedd.

Ar ôl neidio o gwmpas am ychydig, gorweddodd Falmai ar ei gwely eto.

Caeodd ei llygaid.

Ond rhwng cwsg ac effro, clywodd Falmai'r sŵn chwyrnu eto.

'RRRRRRR!'

Cododd y ferch ar ei heistedd yn syth,

a gwaeddodd,

'HEI! DOS O 'MA!

Beth bynnag wyt ti,

DOS O 'MA!'

Mae'n rhaid bod Mam wedi clywed hyn,

achos brysiodd allan o'r ystafell ymolchi

mewn gwn nos pinc, ffrilog.

'Falmai? Ydy popeth yn iawn yna, cariad?'

gofynnodd o ochr arall y drws.

'Yndi. Dos o 'ma!'

'Na wna i ddim, yr hen hogan *ddrwg* i ti. Pa fath o ffordd ydi

hynna i siarad efo dy fam? Dywed wrtha i, efo pwy oeddet ti'n siarad?'

gorchmynnodd Mam.

'Ti! Rŵan, dos o 'ma!'

Unwaith eto, ceisiodd y ddynes **wthio** yn erbyn drws yr ystafell wely. Ond roedd y mynydd o **SBWRIEL** yn **uwch** nag o'r blaen, ac ni symudai yr UN FODFEDD.

'Rydw i am i ti dacluso dy stafell y peth **cynta** bore fory!' meddai Mam. Yna, rhuthrodd yn ôl i'r ystafell ymolchi i drio sgrwbio'r darnau olaf o **hen** ysgytlaeth siocled oddi ar ei chorff.

Yn llofft Falmai, roedd **sŵn** rhywun – neu rywbeth – yn cnoi.

C-CH! C-CH! C-CH!

Roedd o'n swnio fel petai'r **creadur** yn bwyta **popeth**.

'RAAAAAAAAP!!!'

Daeth sŵn torri gwynt.

Yna, o'r **môr** o **FFIEIDD-DRA**, daeth y creadur i'r golwg ...

YR ANGHENFIL
AFIACH.

Roedd y
bwystfil
yn wirioneddol
ddychrynllyd

Roedd pob rhan ohono wedi'i wneud o rywbeth roedd y ferch wedi taflu ar lawr ei hystafell wely.

Roedd ei glustiau yn hen bar o **sanau drewllyd** Falmai.

Roedd ei lygaid yn ddau ddarn o pepperoni

o hen bizza oedd wedi dechrau tyfu ffwr.

Roedd ei geg yn **fyrgyr wedi llwydo.**

Roedd ei gorff yn gymysgedd o bethau, o **ddillad ymarfer corff chwyslyd**

a **hancesi papur llawn snot,**

i **welis budron** a **hen dda da oedd â blew ci** drostynt,

a'r cyfan wedi'i sticio at ei gilydd

gyda hen ddarnau o **dâp gludiog afiach.**

Roedd Falmai wedi dychryn am ei bywyd – yn union fel y byddech chi'n ei ddisgwyl, a dweud y gwir, o ystyried fod **BWYSTFiL ANFERTH O SBWRiEL** wedi codi o garped ei llofft.

'DOS O 'MA!' gwaeddodd Falmai.

Roedd y peth yn anhygoel.

Rywsut, roedd ei holl sbwriel hi wedi *dod at ei gilydd* i greu **CREADUR NEWYDD.**

Dechreuodd yr anghenfil frasgamu o gwmpas y llofft, yn codi'r sbwriel oedd yn weddill ar y llawr.

Roedd o'n gyflym iawn, gan fod dwylo'r bwystfil yn enfawr.
Taflai'r creadur y sbwriel i'w geg, a llyncodd y cyfan.

Hen gylchgronau llaith,   slipars wedi rhwygo,

balwnau wedi byrstio,   hen ddoli a   sanau budron.

Sawl llond ceg o sanau BUDRON.

Roedd yr anghenfil wrth ei fodd gyda sanau budron Falmai.
Wrth iddo fwyta a bwyta a bwyta, roedd o'n tyfu a thyfu
a thyfu. Mewn dim o dro, roedd y bwystfil mor fawr, roedd ei ben
wedi cyrraedd y nenfwd.

BONG!

'Mwynha dy fwyd,

anghenfil!' meddai Falmai

gyda gwên, achos roedd

hi wedi sylweddoli

rhywbeth ...

Roedd ei mam wedi

dweud wrthi droeon

am dacluso ei hystafell.

Dyna'n union roedd yr anghenfil yn EI WNEUD!

O fewn dim, roedd yr ystafell yn berffaith lân a thaclus.

Gallai Falmai weld y carped unwaith eto. A nawr bod yr anghenfil wedi clirio popeth, byddai Falmai'n gallu *dechrau gwneud llanast eto!*

'Diolch o galon,' meddai. 'Rŵan, DOS O 'MA!'

Ond ni symudodd y bwystfil. O na.

Edrychai'n LLWGLYD. Trodd i wynebu'r ferch.

Syllodd arni gyda'i lygaid pepperoni afiach.

'Naaaaaaaaa!' bloeddiodd Falmai wrth iddo symud tuag ati.

Cerddai'r bwystfil yn araf, ac roedd hynny'n ei wneud o'n fwy dychrynllyd fyth.

PLOD. PLOD.

PLOD.

'DOS O 'MA!' gwaeddoddd.

Roedd hi'n rhy hwyr. Cododd y bwystfil Falmai yn ei bawen ddrewllyd, a'i thaflu i'w geg. *Llyncodd* y ferch fach yn GYFAN.

'BEEEEEEEEEEEEEEEEEEEEEEEEEP!!!!!!!!!"

Torrodd yr anghenfil
ei wynt yn uchel.

Roedd Falmai Fudr
wedi talu'n ddrud
am fod yn FUDR.

Roedd bwystfil a grëwyd
o'i sbwriel ei hun
wedi'i bwyta'n fyw.

Felly, os oes oedolyn yn gofyn i chi
DACLUSO EICH YSTAFELL,

mae'n well i chi gytuno

AR UNWAITH,

rhag ofn y daw BWYSTFIL

i'ch llofft un noson ...

MAE HI WEDI
DYSGU'I
GWERS!

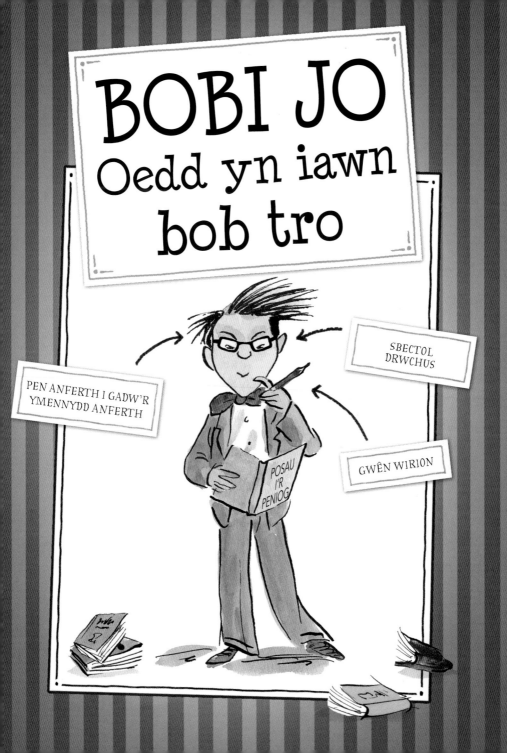

TAIR MILIWN A THRI DEG ...

245 x 34567.7 – 231.65 = ...

... 100234.56 – 345.789

... UN AR DDEG TRILIWN, DAU GA

BOBI JO
Oedd yn iawn
bob tro

AMSER MAITH YN ÔL, roedd bachgen bach o'r enw Bobi Jo. Roedd
o'n swot llwyr. Fo oedd y **SWOT** mwyaf **SWOTLYD** oedd wedi
SWOTIO erioed, ac roedd o'n *mynnu* ei fod o'n IAWN AM BOB
DIM. *'Mae Bobi Jo yn iawn bob tro!'* meddai, gan fynd ar **nerfau**
pawb o'i gwmpas.

Ei hoff bwnc oedd Mathemateg.

Byddai'n treulio ei amser yn datrys problemau a *syms* anodd iawn.

Os nad oedd gwaith cartref gan Bobi Jo, byddai'n gosod tasgau iddo'i hun.

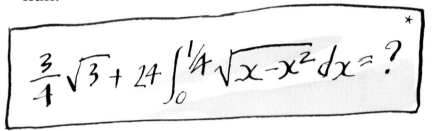

$$\frac{3}{4}\sqrt{3} + 24 \int_0^{1/4} \sqrt{x - x^2}\, dx = ?$$

Byddai'n datrys y cyfan heb drafferth. Roedd pob min nos, penwythnos a gwyliau yn cael eu treulio yn dod o hyd i atebion i'r syms anoddaf, syms y byddai ei athrawon yn eu cael yn anodd.

Gan fod Bobi Jo yn llenwi ei ddyddiau gyda Mathemateg, Mathemateg a mwy o Fathemateg, doedd o ddim yn gweld llawer o olau dydd, ac felly roedd o braidd yn *welw*. Ac am ei fod wedi bod yn pori dros syms tan yr oriau mân bob nos, roedd ei olwg yn *wan* a gwisgai sbectol drwchus oedd yn gwneud i'w lygaid edrych fel peli tennis.

*Yr ateb yw *pi*, wrth gwrs.

ALGEBRA

POSAU I'R PENIOG

MATHEMATEG

MWY O BOSAU

Fel y gwelwch chi, roedd Bobi Jo yn ystyried ei hun yn **ATHRYLiTH** fathemategol, ac yn fwy clyfar nag unrhyw un arall. A'r peth oedd yn codi mwyaf o ofn ar y bachgen, yn fwy na dim arall yn y byd, oedd meddwl y byddai o, ryw ddiwrnod, yn cael yr ateb yn *anghywir*.

Dyma hanes yr union DDIWRNOD HWNNW.

Bore dydd Llun oedd hi, ac roedd Bobi Jo yn eistedd yn rhes flaen y dosbarth ac yn cael gwers Fathemateg.

Safai Mr Craffug ym mlaen y dosbarth. 'Un peth sy'n rhaid i chi gofio bob tro, blant, ydi bod rhifau yn mynd ymlaen

AM BYTH.'

'Be ydach chi'n feddwl, Syr?' holodd merch o gefn y dosbarth.

Ysgydwodd Bobi Jo ei ben. **'Twt twt!'**

Byddai'n **twt-twtian** unrhyw un oedd ddim mor glyfar ag o, ac felly byddai'n **twt-twtian** pawb.

'Cwestiwn da!' atebodd yr athro, gan geisio anwybyddu Bobi Jo. 'Am eich bod chi'n gallu adio un at unrhyw rif, maen nhw'n mynd ymlaen AM BYTH. Ac felly, dydy rhifau byth yn dod i ben.'

? Syllodd y plant ar ei gilydd mewn penbleth. ?
? ? ? ? ? ? ? ?

'Iawn. Meddyliwch am y rhif mwyaf y gallwch chi,' meddai'r athro. Saethodd sawl llaw i'r awyr.

'Miliwn!' meddai un bachgen.

'Biliwn!'

gwaeddodd un arall
– bachgen o'r enw Nitin Singh.

'Triliwn!'

galwodd Cen Chan.

'Triliwn triliwn **triliwn!**'

meddai Francis Francoise y tu ôl iddo

mewn *llais buddugoliaethus*. Doedd bosib fod unrhyw un
yn mynd i allu meddwl am rif mwy na hynny!

Roedd yr athro'n meddwl bod hyn i gyd yn ddoniol iawn.

'Ha ha! Da iawn, blant. Da iawn. Oes rhywun yn gallu meddwl am rif
mwy na thriliwn triliwn triliwn?'

Ystyriodd Bobi Jo am ychydig.

'Triliwn

triliwn triliwn

ac UN.'

'Da iawn, Bobi Jo,' meddai Mr Craffug, ac ebychodd weddill y dosbarth. Roedd y **SWOT** wedi ennill eto! 'Oes rhywun yn gallu meddwl am rif mwy na thriliwn triliwn triliwn ac un?'

'Beth am *triliwn* triliwn triliwn *a dau*?' holodd Bryn.

'Ie wir, triliwn triliwn triliwn a dau, da iawn ti. Beth am rif **mwy** eto?' gofynnodd yr athro.

'*Triliwn triliwn triliwn a thri!*' meddai Bobi Jo.

'Ie, wel, da iawn, Bobi Jo. I symud ymlaen, FY MHWYNT ydi ...'

'*Triliwn triliwn triliwn a PHEDWAR.*'

'Dyna ddigon, Bobi Jo!' Roedd Mr Craffug, oedd yn ddyn caredig ac amyneddgar, yn dechrau colli ei limpin nawr.

'*Triliwn triliwn triliwn a—*'

'CAU HI, BOBI JO!'

gwaeddodd Mr Craffug.

Tawelodd y dosbarth.

'Diolch.' Roedd yr athro wedi synnu ei hun braidd, ac anadlodd yn drwm am ychydig eiliadau. 'Fel roeddwn i ar fin dweud, mae hyn yn dangos i chi fod rhifau'n ddiddiwedd achos eich bod chi'n medru adio un bob tro. Felly, waeth faint bynnag ydych chi'n cyfri, bydd neb yn gallu cyfri at y diwedd.

Ddim hyd yn oed ti, **Bobi Jo!'**

Roedd eiliad o dawelwch wrth i bawb ystyried hyn. Syllodd Bobi Jo ar yr athro, ei lygaid yn edrych mor fawr â soseri drwy ei sbectol drwchus.

Yna, meddai'r bachgen bach, 'Mi fedra i.' 'Ha! Chwarddodd holl blant y dosbarth. Ha!

'Ha! Ha! Ha! Ha! Ha!' Ha!'

'Tawelwch, os gwelwch yn dda!' meddai Mr Craffug cyn troi at Bobi Jo. 'Efallai mai dyma'r tro cyntaf i ti glywed hyn erioed, Bobi Jo, ond ... rwyt ti'n **ANGHYWIR.**

'Mae Bobi Jo *yn iawn bob tro,*' atebodd hwnnw'n bendant.

Ysgydwodd Mr Craffug ei ben, a dywedodd, 'Dydi Bobi Jo **DDIM** *yn iawn y tro hwn.* Does **neb** yn gallu cyfri tan y diwedd. Does dim diwedd! Ddim un o fathemategwyr mawr y byd. Neb. Nid hyd yn oed ti.'

Ni fu Bobi Jo'n anghywir erioed o'r blaen, a doedd ganddo ddim bwriad dechrau nawr.

Dyma'r eiliad y dechreuodd ar ei dasg amhosib. Tasg a fyddai'n newid ei fywyd am byth.

'Mae Bobi Jo *yn iawn bob tro,*' mynnodd eto. 'Rydw i'n **ATHRYLITH** ac fe alla i gyfri tan y diwedd un. O gallaf, gallaf, gallaf!'

'Cyfra 'ta!' gwaeddodd rhywun o gefn y dosbarth.

'**IE!**' meddai gweddill y plant.

Er bod Mr Craffug yn ddyn call fel rheol, roedd yntau'n teimlo fel gosod y sialens amhosib i'r **SWOT** yn ei ddosbarth. Roedd pawb eisiau'r un peth: i brofi nad oedd Bobi Jo yn iawn bob tro.

2

'Wel?' gofynnodd yr athro, gan **wincio** ar weddill y dosbarth.

Pesychodd Bobi Jo cyn dechrau.

8

'UN, DAU, TRI, PEDWAR, PUMP, CHWECH ...'

4

Daeth ton o chwerthin gan y disgyblion eraill.

'Ha ha ha ha ha ha ha ha ha ha ha!'

Roedd Bobi Jo wir yn mynd i drio cyfri nes cyrraedd DIWEDD yr holl rifau!

10

'SAITH, WYTH, NAW, DEG, UN AR DDEG ...'   aeth Bobi Jo yn ei flaen.

Prin y medrai'r dosbarth gredu ei fod o'n gwneud peth mor wirion.

'DAU GANT SAITH DEG TRI, DAU GANT SAITH DEG PEDWAR, DAU GANT SAITH DEG PUMP ...'

Ymlaen ac ymlaen aeth Bobi Jo nes i'r gloch ganu ar ddiwedd y wers.

BRRRRRRRRING!!

'Diolch yn fawr, Bobi Jo! Mi gei di roi'r gorau iddi nawr,' meddai Mr Craffug gyda gwên.

14

65

Ond doedd gan Bobi Jo ddim bwriad o roi'r gorau iddi. Roedd o'n

mynd i **barhau** nes ei fod o'n dod o hyd i'r rhif OLAF UN.

'DAU GANT SAITH DEG CHWECH, DAU GANT SAITH DEG SAITH,

DAU GANT SAITH DEG WYTH ...'

Cerddodd Bobi Jo o'r dosbarth yn **dal i gyfri,**

ac **ysgydwodd** Mr Craffug ei ben mewn anobaith llwyr.

Pa mor hir oedd hyn yn **mynd i barhau?**

PEDWAR CANT WYTH DEG ...

...PUM CANT PEDWAR DEG DAU ...

I CHANT PUM DEG NAW ...

36

108

27

18

34

280

Cyfrodd y bachgen **drwy'r**
amser chwarae, **yna** drwy'r gwersi
eraill (gan gynnwys ymarfer corff),
yna drwy'r awr ginio, **yna** drwy
fwy o wersi, nes i'r gloch ganu am y
tro olaf ar **ddiwedd y dydd.**

CHWE CANT NAW DEG **NAW** ...

9

𝔅RRRRRRRRRING!!

Roedd Bobi Jo yn dal i gyfri wrth iddo fartsio drwy giatiau'r ysgol.

Erbyn hyn, roedd o bron â chyrraedd deng mil.

'NAW MIL SAITH GANT A THRI DEG CHWECH,

NAW MIL SAITH GANT A THRI DEG SAITH ...'

Wrth i'r bechgyn eraill chwerthin ar ei ben yn yr arhosfan bysiau, teimlai Cen yn euog.

Rhoddodd ei law ar ysgwydd ei ffrind a dywedodd, 'Tyrd, Bobi Jo. Beth am fynd i gael hufen iâ? Mae hyn yn wirion bost.'

Edrychodd Bobi Jo arno'n gandryll.

'DWI WEDI COLLI FY LLE!' bloeddiodd.

'Bydd rhaid i mi ddechrau cyfri eto!'

'Ond Bobi Jo!'

'UN, DAU, TRI...'

Pan ddychwelodd adref,

bu Bobi Jo'n cyfri drwy gydol

amser swper ...

MIL CANT AC UN DEG DAU ...

TRI DEG MIL, CHWE CHANT A NAW ...

...TRI DEG MIL, CHWE CHANT A DEG ...

ac amser bath.

Pan aeth i'r gwely, ysgrifennodd y rhif olaf roedd

o wedi'i gyfri ar ddarn o bapur.

48,392

Gallai ddechrau cyfri o'r rhif hwnnw pan fyddai'n deffro yn y bore.

A dyna'n union a wnaeth.

Trwy'r diwrnod **wedyn** a'r diwrnod **wedyn** a'r diwrnod **wedyn**, *cyfrodd* a *chyfrodd* a *chyfrodd* Bobi Jo.

Cyn bo hir, roedd wedi cyrraedd **miliwn**, ac, ar ôl cwpl o **flynyddoedd** o gyfri, cyrhaeddodd y **biliynau**.

Pan gyrhaeddodd **driliwn,** teimlodd nad oedd fawr o bwynt iddo **stopio**, felly aeth **ymlaen** i'r

siliynau.

... DAU SILIWN CHWE

CHANT A THRI ...

... WYTH SILIW

... UN SILIWN

DWY FIL TRI CHANT AC UN ...

Byddai pobl yn teithio o bell ac agos i wylio tasg ddiddiwedd Bobi Jo.

Rhoddwyd yr enw *'Y Bachgen Cyfri'* arno, ond bu'n rhaid newid hynny i'r *'Dyn Cyfri'* wrth i Bobi Jo heneiddio.

... UN SILIWN CHWE CHANT A THRI ...

... TAIR SILIWN DWY FIL A THRI CHANT ...

I MIL A NAW DEG ...

... PUMP SILIWN MIL AC UN ...

Roedd ei wallt yn gwynnu, cafodd wydr mwy trwchus fyth ar gyfer ei sbectol, oedd yn gwneud i'w lygaid edrych fel dwy bêl-droed, ond doedd Bobi Jo'n dal ddim yn fodlon cyfaddef ei fod o'n anghywir. Roedd o'n mynd i gyfri at y RHIF OLAF un, a dyna ddiwedd arni.

Hyd yn oed pan fu farw ei hen athro Mathemateg, Mr Craffug, yn 103 mlwydd oed, gwrthododd Bobi Jo roi'r gorau iddi.

NAW GASILIWN, SAITH GANT AC WYTH DEG SILIWN ... PEDWAR DEG TRILIWN, THRI CHANT AC WYTH DEG BILIWN, NAW DEG DAU MILIWN, PEDAIR CAN MIL, PUM CANT A DAU ...

Roedd y rhifau'n mynd yn dipyn o lond ceg.

Heneiddiodd Bobi Jo wrth i'r blynyddoedd fynd heibio.

Bu'n cyfri heb stopio am chwe deg o flynyddoedd.

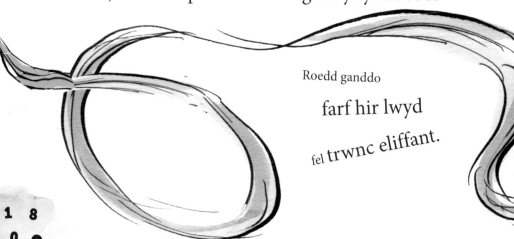

Roedd ganddo farf hir lwyd fel trwnc eliffant.

Ymlaen â fo, yn cyfri a chyfri a chyfri. Cyn belled â'i fod o'n parhau i gyfri, gwyddai na fyddai'n rhaid iddo gyfaddef ei fod o'n anghywir.

UN AR DDEG GASILIWN, NAW MIL A NAW DEG SILIWN, MIL A CHANT CHWE DEG MILIWN, CHWE CHANT A THRI ...

Roedd o bellach yn **111 mlwydd oed,** a gwyddai fod y diwedd

yn agosáu wrth iddo orwedd ar **ei wely angau.**

Ond roedd o'n dal i *gyfri, cyfri, cyfri,* a rhyw obaith yn ei galon

mai'r rhif **nesaf** fyddai'r RHIF OLAF UN, er **nad oedd**

ffasiwn beth yn bodoli.

DEUDDEG **GASILIWN** SILIWN TRILIWN **BILIWN** MILION A **THRI** ...

DEUDDEG GASILIWN **SILIWN** TRILIWN BILIWN **MILIWN** A PHEDWAR ...

Daeth ei hen ffrind ysgol,

Cen Chan, i'w weld am y

tro olaf. Roedd Bobi Jo yn

wan iawn bellach.

Eisteddodd Cen ar erchwyn ei wely, a dywedodd,

'Does gen ti ddim llawer o amser ar ôl. Pam na wnei di roi'r gorau

i gyfri a **mwynhau munudau olaf** dy fywyd?'

Syllodd Bobi Jo i fyw llygaid Cen

a golwg ddig ar ei

wyneb *crychlyd.*

'Y ffŵl gwirion!

Rwyt ti wedi gwneud i mi golli fy lle **eto!**

Rhaid i mi **ddechrau o'r dechrau** nawr ...'

'**PAID,** Bobi Jo!'

crefodd Cen.

'*UN,*
DAU,
TRI...'

dechreuodd Bobi Jo.

Wrth gwrs, wnaeth Bobi Jo
ddim cyrraedd y RHIF OLAF.
Ond roedd o'n dal i feddwl mai fo oedd yn **iawn,**
a doedd **neb** yn gallu profi'n **wahanol.**

Bu farw Bobi Jo gyda
gwên ar ei wyneb ...

Gwastraffodd ei **fywyd cyfan** yn gwneud dim ond *cyfri,* ond yn **bwysicach** na hynny, doedd **neb** wedi gallu profi ei fod o'n **anghywir.**

Dyma oedd ar ei **garreg fedd:**

ER COF AM

BOBI JO

OEDD YN
BENDANT

**YN IAWN
BOB UN TRO**

(YN ARBENNIG AM
YR HOLL BETH CYFRI 'NA)

GALLA I DDIM
RHOI'R GORAU
I GYFRI NAWR!
GRRR!

TANWEN
Torri gwynt

GWÊN DDRYGIONUS

BOL YN LLAWN GWYNT

RHECH DDREWLLYD

TANWEN
Torri gwynt

DEWCH I GWRDD Â MERCH ARBENNIG – *TANWEN TORRI GWYNT.*

Pan oedd hi'n fabi bach, sylweddolodd Tanwen fod ganddi dalent wirioneddol am dorri *GWYNT. Swigod sawrus, tiwniau toiled, PWT PWTIAU, corwynt pên-ôl, trwmped trowsus, cneciau cadair, gwichiadau gwych, cerddi trôns, corn gwlad* ... galwch nhw beth y mynnoch, roedd Tanwen wrth ei bodd yn taro **RHECH**.

Roedd yr eneth fach **mor dda** am **gnecu,** byddai wedi gallu ennill medalau lu mewn cystadlaethau.*

Roedd rhechod T̊ÅN̊ W̊E̊N̊ o bob lliw a llun. Gallai wneud rhai tawel, rhai **uchel**, rhai **byddarol**, rhai hirion, rhai byrion, rhai oedd yn gwneud sŵn **rat-tat-tat** fel gwn, a rhai oedd fel **ffrwydradau** pwerus.

Roedd talent anhygoel T̊ÅN̊ W̊E̊N̊ yn ffieiddio pawb o'i chwmpas, ond roedd y ferch fach yn llawn **direidi,** a gwirionai ar yr ymateb i'w gwynt drewllyd. Byddai'n creu ANHREFN mewn archfarchnadoedd, ERCHYLLTRA mewn eglwysi a SGRECHIADAU yn y swyddfa bost. Byddai pobl yn aml yn cael eu **sathru dan draed** yn y rhuthr wrth geisio dianc rhag y **drewdod.**

---

* Hynny yw, petai ffasiwn beth â chystadlaethau rhyngwladol oedd yn gwybrwyo rhechod uchel neu ddrewllyd iawn, ond yn anffodus, dydy'r cystadlaethau yna ddim yn bodoli. Eto.

Byddai *TÂN WEN* yn gwneud yn siŵr ei bod hi'n llenwi ei bol gyda bwyd oedd yn siŵr o greu gwynt. Byddai'n bwyta **llawer iawn** o'r canlynol:

Ffa pob

Sudd prŵns

Ffigys sych

Uwd

Sos brown

Sherbert

Maip

Pys slwj

India-corn

Cyrri wyau

Pop swigod

Betys

Bresych

Cawl ffacbys

Rhuddygl

Blodfresych a chaws

Bananas
(rhai oedd wedi troi'n ddu)

Nionod amrwd

Sgewyll

Stwffin

Byddai'r athrawon yn yr ysgol yn aml yn anfon TANWEN allan o'r ystafell i'w chosbi am ei **ffrwydradau pên-ôl.** Byddai hithau'n dweud mai damwain oedd pob un, ond y gwir oedd ei bod hi'n gwneud ei gorau glas i wasgu un allan.

Bob un tro.

Byddai'r sŵn mor uchel, neu'r arogl mor ddrwg nes bod pawb yn gorfod **gadael y dosbarth.** Yna, byddai TANWEN yn cael ei hanfon i ystafell y brifathrawes i honno gael dweud y **drefn.**

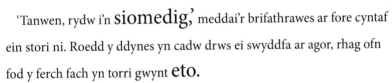

'Tanwen, rydw i'n **siomedig,'** meddai'r brifathrawes ar fore cyntaf ein stori ni. Roedd y ddynes yn cadw drws ei swyddfa ar agor, rhag ofn fod y ferch fach yn torri gwynt **eto.**

'Sorri, Miss,' meddai TANWEN gyda gwên fach slei.

'Dyma'r *deuddegfed* tro'r wythnos yma i ti gael dy anfon i fy swyddfa, a dim ond dydd Mawrth ydi hi!'

'Dwi wedi dweud sorri!'

'Dydy sorri ddim yn ddigon da! Roedd rhaid i Miss Prism dy anfon di allan o'i gwers Mathemateg heddiw am wneud *"swn fel taran"*. Ddoe, fe wnaeth dy athrawes Hanes, Miss Ping druan, lewygu yn ei dosbarth achos y drewdod, ac roedd yn rhaid iddi fynd i orwedd!'

'Efallai mai Ping wnaeth y pong,' atebodd TANWEN yn glyfar.

'Miss Ping ydi ei henw hi, ac i ti gael deall, yn yr ugain mlynedd yr ydw i wedi'i hadnabod hi, dydw i ddim wedi gweld na chlywed am Miss Ping yn creu pong. Beth wyt ti'n feddwl am hynny?'

Gwenodd y ferch yn slei wrth iddi gael syniad.

PFFFFFFFT!

Cymerodd yr arogl afiach ychydig o eiliadau i lenwi'r ystafell. O'r diwedd, cyrhaeddodd y DREWDOD aflan ffroenau'r brifathrawes. Cododd y ddynes ei hances at ei thrwyn yn syth.

'Yr hen hogan ddrwg i ti!' gwaeddodd.

Ceisiodd TANWEN TORRI GWYNT beidio â chwerthin.

'Allan! Allan o fy stafell i ar unwaith!'

Gwthiodd y ferch drwy'r drws mor gyflym ag y gallai.

'Shw! Shw! SHW!'

Gyda phob cam, gollyngodd TANWEN rech fach i gyfeiriad y ddynes.

PFT!

PFT!

PFT!

PFT!

'Un gnec arall o dy ben-ôl di ac mi gei di dy ddiarddel o'r ysgol! Wyt ti'n deall?

Dy DDIARDDEL!'

bloeddiodd y brifathrawes gan gau ei drws yn glep.

BANG!

Safodd *TÂNWEN* yn y coridor gwag eto. Teimlai'n falch ohoni ei hun, a sgipiodd o swyddfa'r brifathrawes, yn *torri gwynt* wrth fynd.

PFT! PFT! PFT! PFT!

Doedd ganddi ddim amynedd mynd yn ôl i'r wers Mathemateg, felly chwiliodd am ystafell ddosbarth wag i gael cuddio tan amser chwarae. Aeth i'r ystafell **gerdd** a gweld yr offerynnau yn un rhes ddisgwylgar.

Fydd hi'n fawr o syndod i chi fod *TÂNWEN* yn cael ei denu at yr offerynnau **chwyth**. Y *sacsoffon*, y *trwmped*, y *trombôn*, y *tiwba* – sgleiniai pob un yn ddisglair. Y tiwba oedd yr offeryn mwyaf un, a cherddodd *TÂNWEN* ato'n araf ac yn **freuddwydiol**. Doedd ganddi ddim talent gerddorol o gwbl, a phan geisiodd chwythu i mewn i'r offeryn, daeth sŵn bach pitw ohono.

Fel roedd hi ar fin rhoi'r gorau iddi, cafodd *TÂNWEN* syniad **direidus**. Daliodd waelod y tiwba wrth ei **phen-ôl** a gwnaeth ei gorau glas i **daro RHECH** *fyddarol.*

Daeth **nodyn hir, isel** o'r tiwba.

DOOOOOOOOOOOOOOOOOOOOOOOOO

Roedd o'n sŵn **eithaf tlws,**
felly rhoddodd *TANWEN* gynnig
arall arni.

Daeth tri nodyn y tro hwn, un ar ôl y llall.

DI **DA!** DI **DA!** DI **DA!**

Dechreuodd yr eneth **fwynhau** ei hunan.

Cyn bo hir, llwyddodd *TANWEN* i roi'r nodau at **ei gilydd**

i greu **alaw.** Nid alaw glasurol, wrth gwrs, ond roedd o'n

SWNIO ychydig fel **Jazz.**

DW **DYM** DW **DYM** **DI** **DA** **DA** **DYM!**

Roedd *TÂNWEN* wrth ei bodd ei bod hi wedi gwneud darganfyddiad mor ddifyr, a dechreuodd ddawnsio o gwmpas yr ystafell gyda'r tiwba wrth ei phen-ôl. Deuai seiniau bendigedig o grombil yr offeryn.

DW DYM DW DYM DI DA DYM DW
DYM DW
DA
DYM
DI
DA

Fel y digwyddodd hi, roedd yr hen athro cerdd, Mr Tincial, yn cerdded heibio drws yr ystafell. Safodd yn stond pan glywodd y gerddoriaeth. Yn ei holl flynyddoedd o ddysgu, chlywodd o erioed yr un disgybl yn chwarae offeryn cystal â hyn. Roedd yr alaw yn ddigon swynol i ddod â dagrau i'w lygaid. A phan agorodd Mr Tincial y drws, daeth y *drewdod* â dagrau i'w lygaid hefyd.

DI DYM
DA
DYM!!!

Ffieiddiodd yr athro i ddechrau. Roedd un o'i offerynnau annwyl yn sownd wrth ben-ôl rhechlyd plentyn ifanc. Roedd ar fin gweiddi ar TANWEN, ond roedd yr alaw mor hyfryd, fe safodd yno'n dawel. Wrth i'r gerddoriaeth lamu, llamodd ei galon yntau hefyd. Roedd yr eneth ifanc yma'n athrylith gerddorol. Byddai'n siŵr o ddod yn gerddor enwog ryw ddydd, yn chwarae mewn cyngherddau mawreddog ledled y byd! A byddai Mr Tincial yn cael ei gofio fel yr athro cerdd anhygoel wnaeth ddarganfod y seren lachar.

'Tanwen,' gwaeddodd,

'rwyt ti'n athrylith!'

'Dim ond RHECHU ydw i, syr,' atebodd y ferch fach.

'Wel, ia. Ond gwna di'n siŵr dy fod ti'n *parhau* i RHECHU! Maen nhw'n creu sŵn bendigedig!'

'Iawn, syr.'

Y noson honno, brysiodd yr athro cerdd draw i dŷ TANWEN TORRI GWŶNT i gael gair gyda'i rhieni, druan.

Roedd y ddau wrth ei boddau o glywed bod "talent" anarferol eu merch yn beth defnyddiol, ac yn hapusach fyth i glywed y byddai'r dalent hon yn debygol o fynd â hi'n ddigon pell o'r tŷ. Byddai'r ddau yn gallu gwylio'r teledu heb begiau'n sownd ar eu trwynau petai Tanwen oddi cartref.

Yn yr ysgol y bore wedyn, rhoddodd Mr Tincial anrheg arbennig i Tanwen – tiwba newydd sbon.

Nawr, Tanwen,' meddai'r athro, 'mae angen i ti ymarfer, ymarfer, ymarfer nes i dy ben-ôl flino'n lân!'

'Iawn, syr!'

'Rydw i wedi trefnu dy fod ti'n cael dy gyngerdd cyntaf yn y lle gorau oll!

NEUADD ERYRI YN LLANDUDNO!'

PFT! meddai pen-ôl y ferch.

'Beth?' gofynnodd yr athro.

'Sorri, syr. Nerfau oedd hynna.'

Roedd Mr Tincial mor gyffrous am dalentau ei ddisgybl arbennig fel yr anfonodd wahoddiadau i'r cyngerdd i gyfansoddwyr gorau'r byd ac i enwogion o bob cwr o'r wlad.

Yn y cyfamser, treuliai TANWEN oriau lawer yn yr ystafell gerdd yn ymarfer ar ei thiwba; llenwyd y lle mewn dim o dro â **nwy gwenwynig** a dechreuodd y paent blicio o'r waliau, er mawr llawenydd i'r ferch fach. Roedd ei noson fawr yn prysur agosáu ...

* * *

O'r diwedd, cyrhaeddodd y diwrnod arbennig. Roedd *TANWEN TORRI GWYNT* am gael ei chyngerdd cyntaf un yn NEUADD ERYRI, LLANDUDNO.

HENO
YN
Neuadd Eryri
Am un noson yn unig:
Tanwen a'r
Tiwba Talentog

Yn ystafell wisgo fawr *TANWEN* y tu ôl i'r llwyfan, roedd paratoadau munud olaf yn cael eu gwneud. Roedd y ferch fach yn bwyta cymaint o'i *BWYD-CREU-GWYNT* â phosib.

Uwd

Ffa pob

Ffigys

Pys slwj

Blodfresych a chaws

Wyau

Cawl ffacbys

FFACBYS

a sudd prŵns

Bresych

PRŴNS

Stwffin

Cymysgwyd y cyfan

mewn sosban enfawr,

a llyncodd TÂNWEN y cawl cneciog.

I wneud yn siŵr fod ganddi ddigon o WYNT yn ei bol ar gyfer y perfformiad, yfodd botel fawr o bop swigod.

Roedd stumog TÂNWEN

bellach yn

llawn

GWYNT.

'Da iawn! Dwi'n meddwl 'mod i'n mynd i **ffrwydro,** syr!' meddai. 'Mae gen i ddigon o **WYNT** i chwarae'r tiwba am **oriau,**' meddai wedyn, cyn dringo ar drampolîn. Cyfrodd wrth neidio.

'Tri chant!

Dau gant naw deg naw!

Dau gant naw deg **wyth!**'

Dihangodd y
mymryn lleiaf
o wynt o ben-ôl T̊ÅN WEN
bob tro roedd hi'n bownsio.

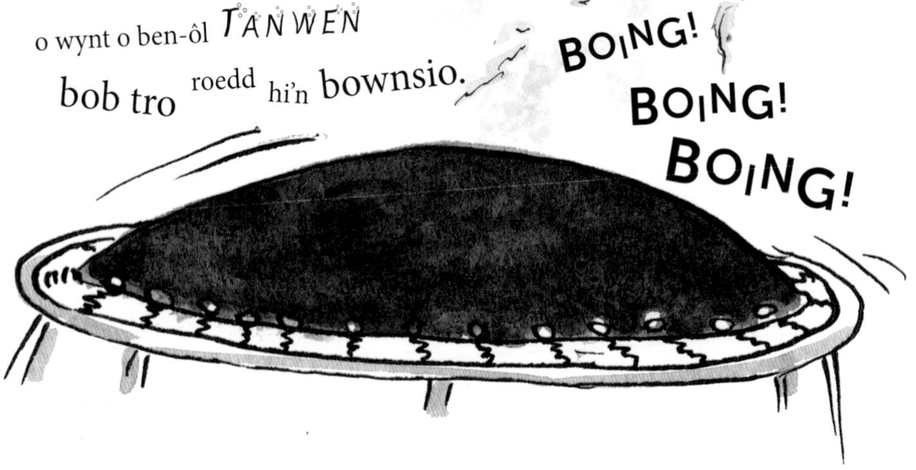

BOING!
BOING!
BOING!

Ar ôl bownsio am awr a mwy, roedd y bwyd a'r ddiod yn stumog y ferch **wedi'u cymysgu'n** afiach o drylwyr.

Yn y cyfamser, roedd yr holl westeion yn aros yn eiddgar. Roedd **mawrion Cymru** yno yn eu gwisgoedd crand, ac ambell bwysigyn mewn siwt melfaréd, neu mewn ffrog grand a choron ddiemwntau.

Pylodd y goleuadau a sgleiniodd un **sbotolau** ar ben moel Mr Tincial wrth iddo gerdded yn araf i lwyfan NEUADD ERYRI.

'Foneddigion a boneddigesau, croeso i'r **noson arbennig** hon. Heno, mae'n fraint gen i gyflwyno i chi dalent gwbl newydd yn y **byd cerddorol.** Fis yn ôl, nid oedd y ferch yma wedi chwarae **nodyn** o gerddoriaeth yn ei bywyd, heb sôn am afael mewn tiwba!'

Ebychodd y gynulleidfa. Am stori **anhygoel!**

'Tawelwch, os gwelwch yn dda,' gofynnodd Mr Tincial wrth i bobl ddechrau trafod pwy oedd yr eneth dalentog yma.

'Chewch chi mo'ch siomi.

Mae'r ferch ifanc yma'n un o

GERDDORION JAZZ

gorau'r oes.

Na – Y GORAU **ERIOED!**'

Cymeradwyodd y gynulleidfa. Gwenodd Mr Tincial, a dywedodd,

'Foneddigion a boneddigesau, cyflwynaf i chi ...

TANWEN!'

Ysgydwai'r gynulleidfa eu pennau mewn **syndod** wrth weld y ferch fach yn cerdded ar y llwyfan. Mae'n rhaid mai **camgymeriad** oedd hyn!

Roedd hon yn rhy ifanc
i chwarae ʃazz
ar diwba enfawr
ar lwyfan NEUADD ERYRI!

Gwenodd *TÂNWEN* ar y gynulleidfa, a moesymgrymu.
Wrth iddi wneud hynny, daeth pop-pop-pop bach o'i phen-ôl.
Syllodd Mr Tincial yn nerfus o ochr y llwyfan. Yn ffodus iawn,
chlywodd neb y ferch yn torri gwynt, er bod un o'r criw gefn llwyfan
wedi llewygu.

Yna, gosododd *TÂNWEN* y tiwba yn y lle arferol,
yn barod i daro **RHECH**.

OOOOOO!

OOOOO

OOOOOOOO!

Ffieddiodd y gynulleidfa.
Doedden nhw erioed wedi gweld
rhywbeth mor afiach o'r blaen. Ac
yn NEUADD ERYRI,
LLANDUDNO, o bob
man! Un o lwyfannau *crandiaf* y
byd!

Edrychai am eiliad fel petai'r bobl am ddechrau reiat.

Trodd *TANWEN* at Mr Tincial, a nodiodd hwnnw ei ben,

a'i hannog i ddechrau chwarae cyn i bethau fynd dros ben llestri.

Ac felly dechreuodd *TANWEN*.

Llanwyd y neuadd gydag alaw bersain. Roedd cerddoriaeth

TANWEN TORRI GWYNT yn brydferth tu hwnt.

Ar ôl ychydig nodau, roedd y gynulleidfa wedi'u swyno gan y synau

unigryw ddeuai o'r tiwba.

Dyma foment yn hanes y byd cerddorol fyddai'n cael ei gofio am

byth, meddyliodd Mr Tincial.

Fodd bynnag ...

Ar ôl yr **holl fwyd** a'r **pop swigod**, ac ar ôl yr holl
fownsio ar y trampolîn, roedd *GWYNT TANWEN* yn gryfach
nag arfer.

Ac roedd
yr arogl
mor ddrwg
nes ei fod yn

llosgi

ffroenau'r
gynulleidfa.

Does dim rhaid i mi ddweud wrthoch chi, annwyl ddarllenwyr, fod
pethau wedi dechrau **mynd o'i le.**

Yn sydyn, sylwodd yr athro cerdd fod y bobl yn y rhesi blaen yn dechrau gwywo fel blodau marw. Y rhes flaen yn gyntaf,

yna'r ail,

ac yna'r drydedd. Roedd y DREWDOD yn eu taro fel ton.

Wrth i *TÂN WEN* chwarae ei thiwba, gwthiai

fwy a mwy o'r nwy gwenwynig o'i phen-ôl. O fewn dim,

roedd **pob un** o'r gynulleidfa **wedi llewygu.**

Rhuthrodd Mr Tincial i'r llwyfan er mwyn stopio *TÂN WEN*,

ond cafodd ei daro gan y nwy, a syrthiodd oddi ar lwyfan

NEUADD ERYRI ac i grombil y piano mawr.

CLANG!

Sylweddolodd *TANWEN* yn sydyn

NA FEDRAI STOPIO RHECHU.

Tan rŵan, roedd hi wedi gallu torri gwynt yn union pan fyddai'r awydd yn codi.

Ond roedd bellach wedi colli rheolaeth ar ei phen-ôl,

ac roedd ei bol llawn gwynt yn chwyddo'n fwy.

Doedd dim byd yn gallu rheoli gwynt *TANWEN*.

Roedd ei phen-ôl ar fin troi'n fom

NIWCLEAR!

Bu tawelwch dychrynllyd am funud, yna ...

trawodd *TÂN WÊN* rech mor anferthol nes iddi saethu i'r awyr fel roced.

¡HSWWWWWWWWW!

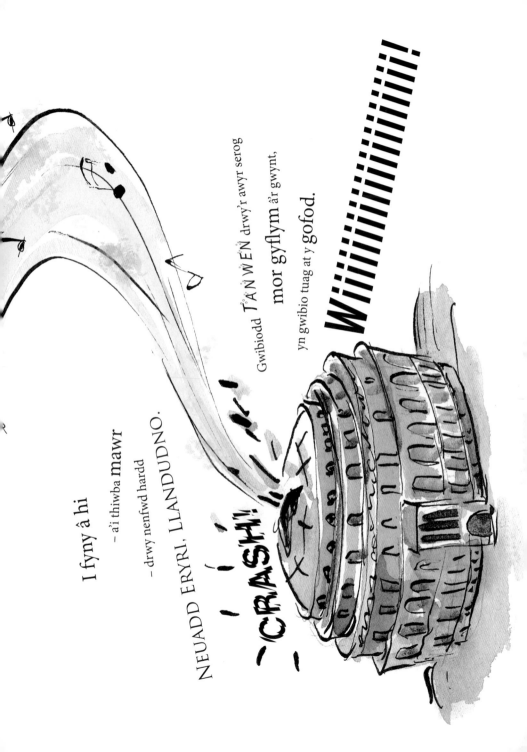

I fyny â hi

– a'i thiwba mawr

– drwy nenfwd hardd

NEUADD ERYRI, LLANDUDNO.

~CRASH!!

Gwibiodd *TÂN WÊN* drwy'r awyr serog

mor gyflym â'r gwynt,

yn gwibio tuag at y gofod.

Wiiiiiiiiiiiiiiii!

Yng nghanol y düwch, ar **Orsaf Ofod Ryngwladol**, cafwyd adroddiadau annisgwyl iawn gan y gofodwyr yn nodi eu bod wedi clywed JAZZ SWYNOL, IAWN. Gan feddwl efallai fod bodau o'r blaned Mawrth yn ceisio cysylltu â'r Ddaear drwy gerddoriaeth, rhoddodd y gofodwyr eu siwtiau amdanynt a rhuthro allan i'r tywyllwch. Syllodd pob un yn gegrwth ar ...

ferch fach yn gwibio heibio gyda thiwba wrth ei phen-ôl a golwg ofnus iawn ar ei hwyneb.

Dyna oedd y tro olaf y gwelwyd *TANWEN TORRI GWYNT.*

Beth allwn ni ddysgu o'r stori hon, rydw i'n eich clywed chi'n holi?

Y wers ydi nad oes DIM BYD

yn ddoniol am **DORRI GWYNT.**

A dyna pam na fyddwn i BYTH yn ysgrifennu stori am y peth.

DYFAN DIFRIFOL

ROEDD **DYFAN DIFRIFOL** WEDI CYRRAEDD ei ddeuddeg oed heb wenu unwaith. Ei hoff beth yn y byd oedd bod o ddifrif drwy'r amser. Roedd o'n llawer **rhy ddifrifol** i gymryd rhan mewn unrhyw ddigwyddiad a allai gael ei ystyried yn HWYL. Roedd chwerthin a llawenydd yn gwbl ddiarth iddo. Fyddai o byth yn gwylio cartwnau nac yn chwarae gemau nac yn mynd i bartïon pen-blwydd.

Byddai'r plant eraill yn ei ddosbarth yn gwneud eu gorau i'w ddarbwyllo i ymuno â nhw, ond roedd yn well gan **DYFAN** dreulio'i holl amser ar ei ben ei hun, gyda'i ddiddordebau diflas iawn.

Roedd gan **DYFAN** gasgliad mawr o

naddion pensiliau, ac ar benwythnosau byddai wrth ei fodd yn tynnu lluniau o `oleuadau traffig`, cyn eu sticio mewn llyfr o'r enw *Goleuadau Traffig 1–217.*

Fodd bynnag, hoff beth **DYFAN** oedd ryw gêm ddyfalu roedd ef ei hun wedi'i dyfeisio. Byddai'n gorfod dyfalu o ba fathau o fetel roedd gwahanol eitemau wedi'u creu.

'Mam, rydw i'n meddwl bod y peiriant tostio wedi'i greu o ddur,' meddai'r bachgen un diwrnod wrth iddo eistedd yn y gegin gyda'i fam druan. Gwisgai **DYFAN** ddillad diflas – fel gwisg ysgol – bob dydd, gwisgai'r un esgidiau **llwyd**, yr un trowsus **llwyd** a'r un crys **llwyd**, a'r botymau wedi'u cau i gyd hyd at y goler.

Roedd Mam yn wahanol iawn i'w mab, yn llawn sbort a chwerthin. Dynes fawr oedd hi, oedd wastad yn gwisgo dillad blodeuog, lliwgar. Fodd bynnag, ymddangosai mwy o grychau ar ei hwyneb bob dydd gan ei bod hi'n poeni nad oedd ei mab byth yn gwenu nac yn chwerthin.

Cododd Mam y peiriant tostio, ac edrychodd ar y label bach ar y gwaelod.

'Cywir ETO, Dyfan!' meddai, gan drio swnio'n frwdfrydig.

'A beth am y **teclyn** dal papur tŷ bach, Mam? Rydw i'n dyfalu mai un *alwminiwm* yw hwn.'

'Cywir eto, Dyfan! Am gêm **HWYLIOG.** Byddwn i'n gallu chwarae fel hyn **am byth!**' Un dda am ddweud celwyddau oedd Mam. Yna mentrodd ofyn cwestiwn.

'Dyfan, beth am i ni fynd i gael **HWYL** heddiw?'

'**HWYL?**' ebychodd **DYFAN.**

'Beth ydach chi'n feddwl, **HWYL?**'

'Wel ... *sbort,* wyddost ti.'

'*Sbort?*'

'Ia! Mae **unrhyw beth** yn gallu bod yn **HWYL,** fel ... mynd i'r *sw.* Gwylio'r ddau orangwtan yn chwarae gyda'i gilydd ... mae hynny'n **HWYL!**'

'Choelia i fawr, Mam,' meddai'r bachgen yn **oeraidd.** 'Dim ond epa lliw oren ydi orangwtan. Beth yn y byd sy'n *ddifyr* am hynny?'

Ochneidiodd Mam a cheisio eto. 'Wel, beth am y **ffair?** Mae hi wastad yn **HWYL** i weld dy hun yn y drychau rhyfedd yna!'

'Mam, sut ar wyneb y ddaear mae hynny yn ...' Bron iawn na fedrai ddweud y gair o gwbl, **'HWYL?'**

'Wel ...' Doedd hi ddim yn hawdd disgrifio hwyl i fachgen **nad** oedd ganddo synnwyr digrifwch **o gwbl.** 'Wel, mi fedri di edrych mewn drych a gweld dy hun yn *dal* ac yn *denau!*'

Syllodd y bachgen ar ei fam heb arlliw o wên. 'A ...?'

'Ac wedyn rwyt ti'n ... **ym** ...'

Syllodd **DYFAN** ar ei fam, ei wefus yn cyrlio'n **hyll.**

'Rwyt ti'n edrych yn y drych **nesaf** a – chredu di byth – rwyt ti'n *fyr* ac yn *dew!* **Ha ha ha!'**

Tawelodd ei chwerthin pan welodd wyneb **dirmygus** ei mab.

'Mam, dydw i ddim yn dal nac yn denau, nac yn fyr ac yn dew. Pam na all y drychau yn y ffair fod yn rhai go iawn, sydd, wrth gwrs, yn gallu cynnwys y metel *alwminiwm*?'

'Achos, Dyfan, fyddai'r drychau **DONIOL** ddim yn **DDONIOL** wedyn!' Teimlai Mam yn rhwystredig erbyn hyn. 'Iawn, fe wnawn ni anghofio'r sw a'r ffair achos mae gen i syniad **gwell fyth.**'

'Go iawn?'

'Go iawn! Rydw i wedi clywed bod 'na **SYRCAS** yn y dref!'

Crychodd **DYFAN** ei **drwyn,** ond smaliodd ei fam nad oedd hi wedi sylwi.

'Fe gawn ni fynd i weld y **clowns!** Maen nhw'n **siŵr** o wneud i **bawb** *chwerthin* llond eu boliau!'

'Mae'r "clowns" yma'n **DDONIOL**, ydyn nhw, Mam?'

'O yden wir, Dyfan! doniol iawn!' atebodd y ddynes yn syth. Doedd **DYFAN** heb ddweud na. Y cyfan oedd yn rhaid iddi wneud nawr oedd ei **ddarbwyllo** i ddod efo hi. 'Maen nhw'n gyrru i ganol y babell fawr mewn car bach, bach, ac yna, cyn iddyn nhw ddod allan o'r car, mae'r drysau yn syrthio i'r llawr!

Ha ha ha ha ha ha!'

Roedd **DYFAN** mewn penbleth llwyr.

'Mam, pa fath o fetel ydy'r car?'

Ysgydwodd Mam ei phen. 'Dwn i ddim. Nid dyna'r pwynt.'

'Ai dur ydi o?'

'Dydw i ddim yn gwybod! Ac yna mae'r clowns yn dod allan o'r car ac mae ganddyn nhw i gyd fwcedi yn llawn dŵr a –'

'Mam, pa **fetel** ydi'r bwcedi?'

'Dwn i ddim!'
'Zinc?'

'Dyfan, **plis,** er mwyn dyn! Dydi hen fetel gwirion y bwcedi ddim yn bwysig!'

Syllodd **DYFAN** ar ei fam fel petai newydd **regi.** 'Dydy **metel** ddim yn wirion, Mam. Rydw i wedi bod yn astudio metelau ers fy mod yn ddwy oed.'

Roedd llais **DYFAN** yn undonog ac yn ddiflas. 'Mae o'n **ddiddorol** iawn. Wyddoch chi, er enghraifft, mai'r symbol cemegol ar gyfer arian ydi **Ag**, sy'n dod o'r gair Lladin, *argentum*?'

'Ia ia ia, dwi'n siŵr fod hynny'n **ddiddorol iawn** ond ...'

'Cywir, Mam, mae o'n **ddiddorol.** Felly wna i **ddim** dod i'r sw na'r ffair na'r **SYRCAS**. Esgusodwch fi, rydw i'n mynd i astudio fy nghasgliad o **declynnau malu caws.'**

Ac allan ag o, o'r gegin ac i fyny i'w ystafell.

Roedd waliau ystafell wely DYFAN yn llwyd.

Roedd y gwely'n llwyd, y blancedi'n llwyd, y llenni'n llwyd.

Weithiau, roedd hi'n anodd gweld DYFAN, gan ei fod yntau, hefyd, mor llwyd.*

*Llwyd oedd hoff liw Dyfan, gan mai dyna yw lliw'r rhan fwyaf o fetelau. Heblaw am aur, sy'n lliw aur, ac arian, sy'n lliw arian – sy'n eithaf tebyg i lwyd. Credai Dyfan fod pob lliw heblaw am lwyd yn 'llawer rhy liwgar'.

Treuliodd **DYFAN** weddill y dydd yn ei lofft yn astudio'i **declynnau malu caws.**

Dywedodd wrth ei fam am adael ei ginio ar hambwrdd y tu allan i'w ystafell. Bowlen o bys oer – dyna'r cyfan roedd **DYFAN** yn ei fwyta i frecwast, cinio a swper. Bowlenni yn llawn o'r llysieuyn mwyaf diflas yn y byd.

Y bore wedyn, roedd Mam yn poeni'n fwy nag erioed. Roedd ei mab yn ddeuddeg oed. Cyn bo hir, fe fyddai'n ddyn. Roedd hi'n torri ei bol eisiau iddo brofi'r holl bethau y dylai plant eu mwynhau.

Hapusrwydd. Hwyl. Chwerthin. Ffrindiau.

Wrth iddi ymestyn am fag arall o bys o'r rhewgell yn frecwast i **DYFAN**, sylweddolodd y

BYDDAI'N RHAID IDDI WNEUD RHYWBETH YN SYTH OS OEDD HI AM WELD EI BACHGEN YN GWENU.

Felly gwnaeth Mam ychydig o ymchwil, a gwelodd yr hysbyseb hon mewn papur newydd:

DR SMALA

ARBENIGWR GORAU'R BYD AR ANHWYLDERAU SYNNWYR DIGRIFWCH.

Dros y blynyddoedd, mae Dr Smala wedi trin aelod o'r ORSEDD OEDD BYTH YN GWENU, CHWARAEWR TENNIS DIFLAS OFNADWY a nifer o WLEIDYDDION OEDD YN CYMRYD EU HUNAIN ORMOD O DDIFRIF.

OS OES GENNYCH CHI AELOD O'R TEULU SYDD DDIM YN GWENU, FFONIWCH Y PROFFESOR HEDDIW AR 0207-946-0000

Ffoniodd Mam y rhif, a gwneud apwyntiad i **DYFAN** y diwrnod wedyn.

Roedd swyddfa Dr Smala ar ganfed llawr yr ysbyty yn y dref. Gorchuddiwyd y waliau gyda thystysgrifau meddygol, ac roedd cwpwrdd gwydr yn llawn gwobrau. Roedd portread enfawr o'r meddyg mewn ffrâm y tu ôl i'w ddesg. Mae'n rhaid bod Dr Smala yn ddyn LLWYDDIANNUS IAWN.

Wrth i **DYFAN** eistedd yn yr ystafell aros yn pori drwy rifyn diweddaraf y cylchgrawn *Llwyau Heddiw*, dywedodd Mam y cyfan wrth y dyn. Dywedodd am gasgliad ei mab o *naddion pensiliau*, ei ddeiat o bys oer, a'r llyfrau sgrap yn llawn o luniau o oleuadau traffig – 558 ohonyn nhw. Yna, dywedodd nad oedd **DYFAN** wedi chwerthin erioed, nac wedi gwenu, hyd yn oed.

'Ar ôl blynyddoedd yn astudio'r maes yma, rhaid i mi gyfaddef mai dyma'r achos gwaethaf o

GYFLWR DIM SYNNWYR DIGRIFWCH

i mi ddod ar ei draws erioed!'

meddai Dr Smala'n llawn cyffro.

'Os galla i wneud i'ch mab wenu, bydd pobl yn siŵr o feddwl mai fi yw'r

meddyg gorau yn hanes y byd!'

Roedd Mam yn amheus iawn, er mor glyfar oedd y meddyg. 'Ond sut wnewch chi hynny, doctor? Rydw i wedi trio popeth!'

Gydag un symudiad dramatig, agorodd meddyg lenni coch oedd y tu ôl i'w ddesg.

'Gadewch i mi ddangos fy nyfais ddiweddaraf i chi ...'

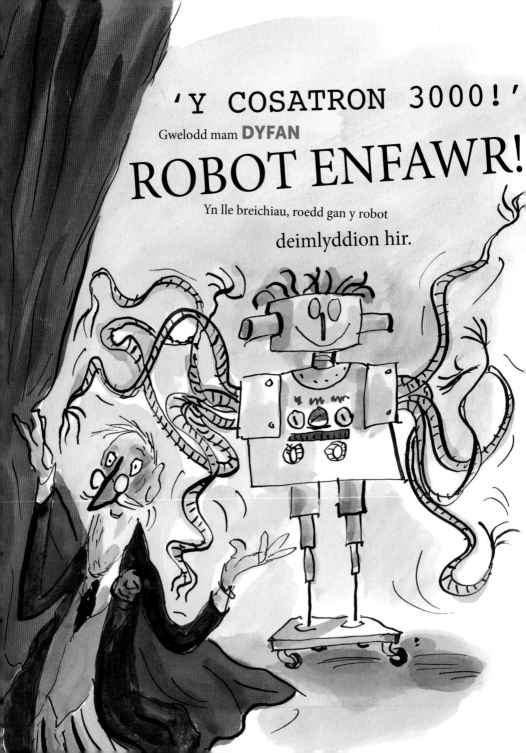

'Y COSATRON 3000!'

Gwelodd mam **DYFAN**

ROBOT ENFAWR!

Yn lle breichiau, roedd gan y robot

deimlyddion hir.

'O mam bach!'

meddai Mam.

'Wel ie, wir!' meddai'r meddyg. 'Bydd y Cosatron 3000 yn siŵr o gosi eich mab nes iddo chwerthin llond ei fol. Dewch â fo i mewn yn syth bìn!'

Agorodd Mam y drws.

'Dyfan, tyrd i mewn nawr, os gweli di'n dda.'

'Ond Mam, rydw i ynghanol darllen erthygl ddifyr iawn am y gwahanol fathau o fetel sy'n cael eu defnyddio i wneud llwyau,' atebodd heb godi ei ben o'i gylchgrawn.

'NAWR, ddywedais i!'

atebodd Mam yn flin.

Ochneidiodd y bachgen a rhoddodd y cylchgrawn ar y gadair a cherdded i mewn i swyddfa'r meddyg.

'Mae'n braf cael cwrdd â thi, Dyfan,' meddai Dr Smala yn garedig.

Safodd y bachgen a syllu ar y dyn, a golwg ar ei wyneb fel petai wedi llyncu cacynen.

'Mae'n siŵr nad wyt ti'n credu hyn, ond mae'r robot yma yn mynd i wneud i ti chwerthin!'

meddai'r meddyg.

'Pa **fetel** ydi'r robot?'

gofynnodd y bachgen.

'Be ddywedaist ti?' gofynnodd y meddyg,

wedi'i synnu gan gwestiwn annisgwyl y bachgen.

'Pa fetel ydi'r robot? Rydw i'n dyfalu ...'

Craffodd **DYFAN** ar y peiriant.

'... *TUN!*'

'Mae o'n gwneud hyn yn aml,' meddai mam **DYFAN**.

Ochneidiodd y meddyg, cyn edrych ar gefn y robot.

'Cywir! Tun ydi o.

A nawr ein bod ni'n gwybod hynny,

mae'n amser rhoi'r

COSATRON 3000

ar waith.

Tri,

dau,

un...'

Gyda hynny, pwysodd fotwm ar ochr y robot a goleuodd
y peiriant. Crynodd y robot a daeth sŵn rhyfedd o'i grombil.

BIIIIP! BLWP! BLWWWWWWP!

Ymestynnodd dau o deimlyddion
y robot tuag at y bachgen.

Ceisiodd **DYFAN** redeg, ond roedd crafangau bach ar y
teimlyddion i'w gadw yn ei le.

'Dwi ddim yn hoffi'r peiriant yma!' cwynodd.

'O, twt lol, fydd o ddim yn brifo,' meddai'r meddyg.

Pwysodd rai o'r botymau ac ymestynnodd dau arall o'r teimlyddion
i GOSi'R bachgen.

Roedd y peiriant yn cosi'r bachgen
yn y llefydd sy'n **GOGLAIS FWYAF.**

Dan ei **ên** i ddechrau,

yna ymlaen at y **traed**,

gan orffen yn y
lle gorau oll,
dan ei **gesail.**

Archwiliodd Mam a'r meddyg wyneb y bachgen
am **arlliw** gwên.
Dim byd.
Dim byd o gwbl.

'Mae hyn yn anarferol iawn! **Ydi wir.** Gadewch i mi godi lefel y pŵer,' meddai'r meddyg.

Ar flaen y robot, roedd deial o'r enw '*GRYM Y COSI*'. Symudodd y meddyg y saeth o rif 3 i rif 9.

Ar ôl hwnnw roedd rhif 10, ac yna un panel coch oedd â label **'PERYGL'** uwch ei ben.

Symudai'r teimlyddion yn gyflym iawn bellach. Yn ogystal â hynny, roedden nhw'n chwilio am lefydd gwahanol i'w cosi ar gorff y bachgen.

Ei *bengliniau*.

Ei *fol*.

Ei *glustiau*, hyd yn oed.

Roedd peiriant Dr Smala yn gwneud ei orau glas.

Unwaith eto, syllodd Mam a'r meddyg ar wyneb y bachgen.

Dim byd.

'Mam, gawn ni fynd adref nawr i mi gael chwarae gyda fy NGHASGLIAD O HOELION?'

Ond cyn i Mam allu ateb, bloeddiodd y meddyg, **'NA!'**

Neidiodd Mam wrth glywed llais **uchel** y dyn.

'**Oooo!**' meddai mewn braw.

Yna, mewn un symudiad cyflym, trodd y meddyg y deial at y rhan oedd yn dweud: **'PERYGL'.**

'Ydych chi'n siŵr fod hyn yn **saff?**'

gofynnodd Mam yn **llawn pryder.**

'Ddim yn hollol sicr,' atebodd y meddyg.

'Ond dwi'n benderfynol o wneud i'r

bachgen rhyfedd yma chwerthin, ydw **wiiiir!**'

Roedd y **COSATRON 3000** yn **ysgwyd** ac yn **rhuglo** nawr. Roedd **mwy** o deimlyddion yn ymestyn ohono, ac yn **cosi'r** mannau mwyaf od ar gorff **DYFAN**.

Ei *benelinau*. Ei *drwyn*. Ei *aeliau*.

Ond doedd **DYFAN** ddim yn chwerthin.

'Mam! Mae hyn yn **ddiflas iawn,**' cwynodd y bachgen.

Roedd Dr Smala'n **gandryll** nawr.

'Y COSATRON 3000!' bloeddiodd.

'RYDW I WEDI BOD YN ARBROFI ARNAT TI
ERS BLYNYDDOEDD! FY NYFAIS BWYSICAF!

OND DWYT TI'N DDA I DDIM!'

Tynnodd y proffeswr ei esgid a dechreuodd waldio'r robot ar ei ben.

CLANG!

CLANG!

CLANG!

Hisiodd a chanodd y robot.

BLIIIIIP!   BLWP! sssssssssss!

Er mai peiriant oedd y robot, roedd yntau'n swnio'n gandryll. Stopiodd gosi **DYFAN**, a throdd i wynebu ei feistr. Yna, ymestynnodd ei deimlyddion i gosi'r meddyg. Mewn dim o dro, roedd y dyn cael ei oglais o'i gorun i'w sawdl.

Tu ôl i'w *glustiau.*

Ei *ben-ôl.*

Gwadnau ei *draed.*

'Ha ha! NA! NA!'   meddai Dr Smala.

'Rydw i'n casáu ... Ha ha ha ha! ... cael fy nghosi!'

Roedd corff y dyn yn ysgwyd dan chwerthin.

'Ha ha ha ha ha ha ha ha ha!'

Ond nid chwerthin *hapus* oedd o, ond chwerthin arteithiol. Roedd cael ei gosi fel hyn yn ofnadwy. Yn enwedig gyda'r COSATRON 3000 yn defnyddio ei HOLL BŴER!

'Ha ha ha ha ha ha! HELP! HELP!

PLIS, HELPWCH FI!'

Roedd yn rhaid i Mam wneud rhywbeth, a hynny ar frys.

Llamodd i gyfeiriad y deial ar flaen y robot. Ond defnyddiodd y COSATRON 3000 rai o'i deimlyddion i'w chosi hi hefyd. Cyn bo hir, roedd mam DYFAN ar ei chefn ar lawr, ei choesau a'i breichiau yn chwifio, fel chwilen oedd yn sownd ar ei chefn.

'Ha ha ha ha ha!'

sgrechiodd.

Yn y cyfamser, roedd y robot yn dechrau symud mewn ffordd ryfedd, **wallgof.** Roedd o'n gwneud *mwy o synau uchel,* hefyd.

BLIIIIP! BLWWWWWP! TING! TING! TING!

Saethodd sbarciau o'i lygaid; tasgai mwg o'i ben.

Symudai ei deimlyddion mor gyflym fel na allai unrhyw un eu gweld yn iawn.

'NA! HA HA! NA!'

bloeddiodd Dr Smala wrth i'r teimlyddion ei oglais yn ddidrugaredd.

'RYDW I'N MYND I WNEUD PI-PI YN FY NHROWSUS!'

Gan wneud ei orau i ddianc rhag ei greadigaeth ei hun, neidiodd ar y robot a brathodd ei deimlyddion. Ond roedd y peiriant yn dal y dyn yn dynn yn erbyn y wal.

'Ha ha ha ha! NA! NA! NA!

DWI WEDI GWNEUD YCHYDIG O BI-PI!

Ha ha ha ha ha!

ALLA I DDIM DIODDEF

MWY O HYN!'

Gyda hynny, llamodd y meddyg **allan** drwy'r ffenest.

Gan fod ei swyddfa ar y canfed llawr, roedd ganddo ddigon o amser i floeddio cyn taro'r palmant.

Yn y swyddfa, dechreuodd **DYFAN DIFRIFOL** chwerthin.

Chwerthin go iawn, hefyd, chwerthin llond ei fol.

'Ha ha ha ha ha ha ha ha ha ha ha

Roedd dagrau'n powlio i lawr ei ruddiau,

ac roedd ei wyneb yn binc.

ha ha ha ha ha ha ha ha ha ha ha ha ha ha ha ha ha ha!'

Dyna pryd y chwalodd y Cosatron 3000, a syrthio drosodd. Trawodd y llawr gyda sŵn

PLYNC!

'Dyfan, rwyt ti'n chwerthin!

O'r diwedd!

Ond pam?' holodd ei fam.

'Roedd hynna'n ddigri!' atebodd **DYFAN**.

ha ha ha
ha ha
ha ha

Felly, fel y gwelwch chi, doedd **DYFAN** ddim mor ddiflas â hynny, wedi'r cyfan. Gallai wenu a chwerthin, ond dim ond pan oedd pethau OFNADWY'N DIGWYDD i bobl eraill.

Ni cheisiodd ei fam druan gael **DYFAN** i chwerthin byth, byth eto.

Tyfodd **DYFAN** yn ddyn, a daeth o hyd i'w swydd ddelfrydol. Aeth yn athro Gwyddoniaeth. Bu'n dysgu yn yr un ysgol am ddeugain mlynedd, ac ni welodd y disgyblion na'r plant mohono'n chwerthin erioed. Credai pawb ei fod yn ddifrifol o ddifrifol gyda'i hen ffeithiau diflas.

Tan i arbrawf fynd o'i le yn ei labordy un diwrnod, gan achosi ffrwydrad anferth.

BŴM!

Saethodd fflamau i bob cyfeiriad, ac aeth pen-ôl y technegydd labordy druan ar dân. Syllodd y disgyblion i gyd arni mewn syndod wrth i'w hathro chwerthin llond ei fol.

'Ha ha ha ha!' chwarddodd **DYFAN** wrth bwyntio at y ddynes a'i throwsus ar dân.

A dweud y gwir, chwarddodd yn rhy galed a dihangodd fymryn o bi-pi i lawr coes trowsus **DYFAN**, a chreu PWLL bach ar lawr.

Yna, wrth gwrs, dechreuodd ei ddisgyblion chwerthin ar ei ben. A dyna'r tro olaf i neb weld **DYFAN DIFRIFOL** yn chwerthin.

CHAIFF Y BACHGEN YNA DDIM DOD I MEWN I FY SIOP!

SARA
Soffa

LLYGAID COCHION AR ÔL
GWYLIO'R TELEDU DDYDD A NOS

PEN-ÔL YN BRIFO AM EI BOD
YN EISTEDD YN RHY HIR

UN BYS CYHYROG
SY'N CAEL EI
DDEFNYDDIO I DROI'R
SIANELI

SARA
Soffa

Y CYFAN ROEDD SARA AM EI WNEUD oedd eistedd ar y soffa yn gwylio'r teledu drwy'r dydd. Doedd dim amheuaeth mai **Sara Soffa** oedd un o blant gwaetha'r byd.

Fyddai hi ddim yn mynd i'r ysgol, nac yn helpu Mam o gwmpas y tŷ, na hyd yn oed yn codi i fwyta swper wrth y bwrdd. Y cyfan roedd hi'n ei wneud oedd eistedd a gwylio'r teledu.

Doedd dim ots beth oedd i'w wylio: operâu sebon, **RHAGLENNI CWIS**, sioe dditectifs, RHAGLENNI GARDDIO, canu a dawnsio, **CARTWNAU**, rhaglenni am wleidyddiaeth, hyd yn oed raglenni am hen GREIRIAU GWERTHFAWR oedd yn ddim byd ond **SBWRIEL** di-werth mewn gwirionedd. Cyn belled â bod y sgrin ymlaen, roedd Sara'n ei gwylio. Yr hysbysebion oedd ei ffefryn. Weithiau, byddai'n teimlo bod y rhaglenni'n amharu ar yr hysbysebion.

Drwy'r dydd a'r nos byddai Sara yn eistedd ar y soffa o flaen y teledu, yn gwylio ac yn sglaffio.

Creision, bisgedi, cacenni, da-da a siocled

oedd ei hoff fwydydd. Os oedd hysbyseb yn dod ar y teledu am greision, bisgedi, cacenni, da-da neu siocled, byddai'n galw ar ei mam i nôl mwy iddi.

'M-A-A-A-A-A-M!' bloeddiai.

'SIOCLED – NAWR!'

Byddai ei mam (oedd bellach yn dlawd am ei bod hi'n gorfod gwario pob ceiniog ar **fynyddoedd** o fwyd i'w merch) yn gorfod rhuthro i siop y gornel i brynu siocled i Sara.

Fodd bynnag, erbyn iddi ddod yn ôl, byddai Sara wedi gweld hysbyseb arall am rywbeth gwahanol roedd hi am ei gael, a byddai'n anfon ei mam yn syth **yn ôl** i'r siop.

'**M-A-A-A-A-A-M!** CACEN – **NAWR!**'

Gwylio a sglaffio. Gwylio a sglaffio. Dyna'r oll roedd Sara yn ei wneud. Trodd ei llygaid yn **sgwâr** ar ôl syllu ar y bocs drwy'r dydd. Yr unig ymarfer corff roedd hi yn ei gael oedd newid y sianel ar y teledu. Ond gan fod ganddi declyn bach, dim ond pwyso botwm roedd angen iddi ei wneud. Ac eto, weithiau, byddai ei bys yn blino a byddai'n gweiddi,

'**M-A-A-A-A-M!** SIANEL TRI. **NAWR!**'

Fyddwch chi ddim yn synnu o glywed bod mam Sara **wedi cael llond bol.**

'Mae'n bryd i ti roi'r gorau i wylio'r teledu a chodi oddi ar dy ben-ôl am unwaith, 'ngeneth i!' meddai'r ddynes un diwrnod.

'Naaaaa, Mam,' meddai Sara heb dynnu ei llygaid oddi ar y sgrin. 'Mae'n rhaid i mi gael gwybod be sy'n digwydd ar ddiwedd y stori yma.'

'Ar ddiwedd y bennod yma, ie Sara?' gofynnodd Mam.

'Na, na, ar ddiwedd y gyfres,' atebodd **Sara Soffa**.

'Does 'na ddim diwedd! Rwyt ti'n gwylio *opera sebon*! Maen nhw'n mynd ymlaen AM BYTH! Tyrd, 'ngeneth i! Cwyd!'

Gyda hynny, rhoddodd Mam ei breichiau dan geseiliau ei merch a cheisio'i chodi ar ei thraed.

'Tri, dau, un... HMFFFFF!'

O'r diwedd, fe lwyddodd, ond cododd y soffa oddi ar y llawr hefyd.

Roedd y ferch wedi bod yn eistedd yno cyhyd, roedd hi'n sownd! Roedd Sara a'i soffa wedi troi'n un, ac roedd hi'n amhosib dweud ble roedd Sara'n gorffen a'r soffa'n dechrau. Roedd Sara wedi troi yn ...

...hanner *merch,* hanner *soffa.*

Doedd dim **mymryn o ots** ganddi. Syllodd ar y teledu drwy **gydol** yr holl beth.

Pan ddychwelodd Dad o'r gwaith, gofynnodd Mam am help. Gyda'i gilydd, ceisiodd y ddau **rwygo** Sara oddi ar y soffa.

Rhoddodd Dad un droed ar fraich y soffa er mwyn gallu tynnu'n well, ac awgrymodd fod ei wraig yn gwneud yr un fath.

'Tri, dau, un ...

HMFFFFFFF!'

Ond wnaeth y ferch ddim symud modfedd.

Felly galwodd ei mam ar y cymdogion i ddod i'w helpu. Y cynllun oedd creu *cadwyn ddynol*. Byddai bôn braich cant o bobl yn siŵr o wahanu Sara oddi wrth ei soffa.

Safai rhai yn yr ystafell fyw,

a chiwiai llawer mwy y tu allan ar y stryd.

'PEIDIWCH Â SEFYLL O FLAEN Y SGRIN!' gwaeddodd Sara.

Dad oedd yn y blaen, a'i freichiau wedi'u lapio o gwmpas bol ei ferch.

Roedd Mam yn dal yn dynn ar Dad. Roedd Indira Drws Nesa yn dal yn

dynn ar Mam, ac yn y blaen.

Braich-ym-mraich,

roedd y

gadwyn ddynol

yn ymestyn yr holl ffordd

i lawr y stryd.

'Tri, dau, un ...

HMFFFFFFFF!'

galwodd Dad.

SARA SOFFA

Ond wnaeth Sara ddim symud **MODFEDD**. Syrthiodd ei thad yn ôl, ac yna syrthiodd y cymdogion dros ei gilydd fel dominos a glanio mewn pentwr mawr, ambell un o flaen Sara.

'DWI DDIM YN MEDRU GWELD Y **SGRIN!**' cwynodd.

Doedd dim byd arall amdani. Penderfynodd Dad alw'r **GWASANAETHAU BRYS**.

'Pa wasanaeth sydd ei angen arnoch?' meddai'r llais ar y ffon. 'HEDDLU, AMBIWLANS NEU'R GWASANAETH TÂN?'

'Dwi ddim yn hollol sicr,' meddai Dad wrth i Mam wrando'n llawn pryder. 'Y peth ydi, mae fy merch i'n sownd i'r soffa.'

'Hynny yw, mae hi'n hoff iawn ohono?' holodd y llais.

'Na, mae hi'n sownd go iawn,' atebodd Dad.

'Bobl bach, mae hynny'n anarferol,' meddai'r llais. 'Fe gawson ni ddyn y diwrnod o'r blaen oedd â'i BEN-ÔL yn SOWND mewn bwced, a dynes oedd â'i PHEN yn SOWND mewn melon, ond dwi ddim yn meddwl ein bod ni wedi cael unrhyw un yn SOWND mewn SOFFA o'r blaen. YDACH CHI AM I MI ANFON Y FRIGÂD DAN I'W THORRI HI ALLAN?'

'Mae hynny'n swnio'n eithafol braidd,' meddai Dad.

'HISHT! DWI'N GWYLIO'R TELEDU!'

bloeddiodd Sara.

'Beth oedd y sŵn yna?' holodd y llais.

'Dim byd,' sibrydodd Dad. 'Dim ond fy merch annwyl, yr un sy'n hanner merch ac yn hanner soffa.'

'O.' Bu tawelwch am ychydig.

'Ydach chi am i mi anfon yr heddlu i arestio rhywun?'

'Pwy?' holodd Dad.

'Y soffa?'

Ystyriodd Dad. 'Na ... Dydy'r soffa ddim wedi gwneud unrhyw beth o'i le, a dwi'n eithaf hoff ohoni.'

Nodiodd Mam yn frwd.

'Beth am ambiwlans? I fynd â'ch merch i'r ysbyty? Efallai bydd y llawfeddygon yn gallu gwneud llawdriniaeth i'w gwahanu hi oddi wrth y soffa?'

'Syniad campus,' meddai Dad. 'Ambiwlans, cyn gynted â phosib os gwelwch yn dda!'

NI-NO NI-NO NI-NO!

Cyrhaeddodd yr ambiwlans o fewn munudau.

Ond roedd 'na broblem.

Gan ei bod hi'n **hanner** *merch* ac yn **hanner** *soffa*, roedd **Sara Soffa**'n rhy fawr i ffitio drwy'r drws.

Felly roedd yn rhaid i'r gyrrwr ambiwlans alw am graen mawr a phêl chwalu.

Llai nag awr yn ddiweddarach, chwifiodd y craen ei bêl fawr fetel drwy wal tŷ teras Sara.

CRASH!

Roedd y wal yn **deilchion.** Wrth i gwmwl o lwch orchuddio pawb ar y stryd, eisteddai Sara ar ei soffa, yn dal i wylio'r teledu.

'RHAID I CHI GAEL GWARED AR YR HOLL LWCH YMA! ALLA I DDIM GWELD Y TELEDU!' bloeddiodd.

Pan gliriodd y llwch, sylweddolodd y gyrrwr ambiwlans fod ganddo broblem **arall.** Roedd yr hanner *merch*, hanner *soffa* yn rhy drwm i'w chario. Felly tynnwyd y bêl oddi ar y gadwyn drom, a chlymwyd y soffa i'r gadwyn.

Gydag un symudiad cyflym ...

WWWWWWWSH!

... codwyd yr
hanner *merch*,
hanner *soffa*
yn uchel i'r awyr.

Dechreuodd Sara wneud coblyn o dwrw pan sylweddolodd
nad oedd yn gallu gweld y teledu mwyach.

'TEL-E-DU! TEL-E-DU!'
llafarganodd.

Cafodd yrrwr y craen sioc, a gwthiodd y lifer i'r cyfeiriad **anghywir,** gan achosi i'r llwyth bendilio drwy'r awyr. Trawodd y tai ar ochr draw'r stryd.

CRASH!

I lawr â'r tai mewn

ffrwydrad o lwch a llanast.

BŴM!

Doedd dim llawer o'r stryd o dai teras ar ôl bellach.

Nid fod unrhyw ots gan Sara:

roedd hi'n dal i feddwl am ei theledu.

Pan bylodd sŵn y brics yn syrthio a sgrechiadau'r bobl, y cyfan oedd i'w glywed oedd llais Sara'n llafarganu,

'TEL-E-DU! **TEL-E-DU!** TEL-E-DU!'

Agorodd gyrrwr yr ambiwlans ddrysau cefn y cerbyd yn gyflym. Ceisiodd gyrrwr y craen wthio'r hanner *merch,* hanner *soffa* i'r cerbyd. Ar ôl ymgeisio tua phum cant o weithiau, daeth yn amlwg nad oedd hi'n mynd i ffitio yn yr ambiwlans. Felly cafodd gyrrwr yr ambiwlans syniad. Defnyddiodd raff i glymu'r hanner *merch,* hanner *soffa* i gefn ei hambiwlans iddi gael tynnu **Sara Soffa**'r holl ffordd i'r ysbyty.

'TEL-E-DU! TEL-E-DU! TEL-E-DU!'

meddai'r ferch.

Erbyn hyn, roedd y gyrrwr ambiwlans yn methu â dioddef yr holl weiddi aflafar, ac roedd hi'n fodlon rhoi cynnig ar unrhyw beth i roi stop ar y sŵn. Felly rhoddodd y teledu yng nghefn yr ambiwlans.

Goleuodd y sgrin unwaith eto o flaen Sara. Dyna oedd yr amser hiraf iddi fynd heb wylio'r teledu ers cyn cof. Roedd y teledu wedi cael ei ddiffodd am **funud gyfan**, ac roedd hi'n rhyddhad mawr iddi weld y llun ar y sgrin unwaith eto.

Symudodd yr ambiwlans i gyfeiriad yr ysbyty **mor araf** â phosib. Eisteddodd rhieni'r ferch ym mlaen yr ambiwlans gyda'r gyrrwr.

Edrychai'r **hanner *merch*, hanner *soffa*** yn ddigon hapus wrth iddyn nhw deithio tua'r ysbyty. Wedi'r cyfan, câi wylio'r **teledu** drwy gydol y daith.

Roedd popeth yn iawn tan...

i'r ambiwlans droi cornel ...

iiiiiiiiiiiiiiiiiiiiii!

A thorrodd y rhaff
a gwifren y teledu.

THWAC!

Ymlaen â'r ambiwlans, heb syniad yn y byd bod y teledu a'r **hanner merch**, hanner *soffa* wedi'u gadael **ar ôl.**

FRWWWWM!

Wrth gwrs, fe aeth y sgrin yn **ddu.**

Dechreuodd Sara **lafarganu.**

'TEL-E-DU! TEL-E-DU! TEL-E-DU!'

Wrth lwc, ar yr union eiliad honno ...

Gwibiodd yr **hanner** *merch*, hanner *soffa* drwy ffenest siop a werthai setiau teledu.

CRASH!

Hedfanodd **Sara Soffa** drwy'r awyr a glanio ...

y tu mewn i deledu **enfawr**.

BANG!

Roedd hi'n **sownd**.

Bellach, **traean** *merch*, traean *soffa*

a thraean *teledu* oedd **Sara**.

A dyna, plant annwyl, sy'n digwydd
pan fyddwch chi'n gwylio gormod o deledu.

Y DIWEDD

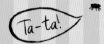

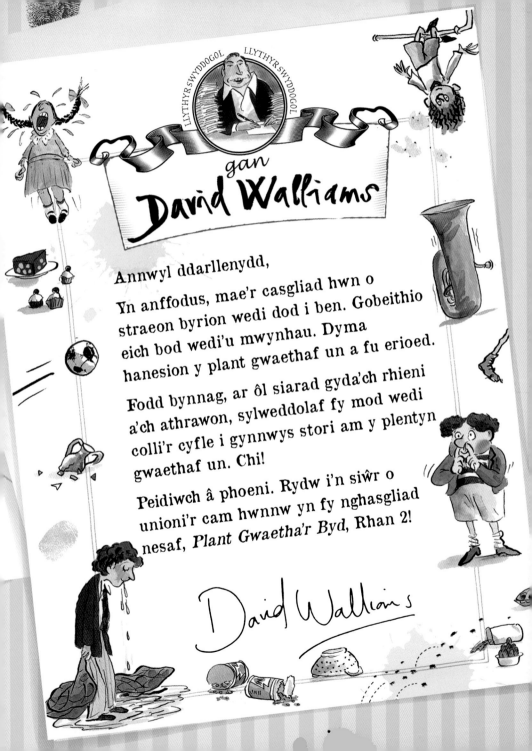

LLYTHYR SWYDDOGOL · LLYTHYR SWYDDOGOL

gan

David Walliams

Annwyl ddarllenydd,

Yn anffodus, mae'r casgliad hwn o straeon byrion wedi dod i ben. Gobeithio eich bod wedi'u mwynhau. Dyma hanesion y plant gwaethaf un a fu erioed.

Fodd bynnag, ar ôl siarad gyda'ch rhieni a'ch athrawon, sylweddolaf fy mod wedi colli'r cyfle i gynnwys stori am y plentyn gwaethaf un. Chi!

Peidiwch â phoeni. Rydw i'n siŵr o unioni'r cam hwnnw yn fy nghasgliad nesaf, *Plant Gwaetha'r Byd, Rhan 2!*

David Walliams